シンポジウム

新型コロナと人生

―メディアに求められる新た

Noise

情報
時間とともに
動かない

養老孟司氏による基調講演の模様＝2020年11月7日、プレスセンター

パネルディスカッションの風景

コロナと人生100年は共存できるか

養老孟司

解剖学者・東京大学名誉教授

ようろう・たけし　1937年神奈川県生まれ。東京大名誉教授。専門の解剖学や趣味の昆虫採集で得た自然観、死生観を基に社会や文化を広く論じる。1989年『からだの見方』（筑摩書房）でサントリー学芸賞を受賞。2003年に出版された『バカの壁』（新潮新書）は440万部を超える大ベストセラーに。他に『解剖学教室へようこそ』（筑摩書房）、『唯脳論』（青土社）、『遺言。』（新潮新書）など著書多数。

シンポジウム

新型コロナと人生100年時代

―メディアに求められる新たな提案力・分析力―

公益財団法人 **新聞通信調査会** 編

新型コロナと人生100年時代

―メディアに求められる新たな提案力・分析力―

パネリスト

楠木 新

神戸松蔭女子学院大学教授

くすのき・あらた　1954年兵庫県生まれ。京都大法学部卒。生命保険会社に入社し人事・労務関係をはじめ総合企画、支社長などを経験。会社勤務の傍ら、50歳から「働く意味」などをテーマに取材や執筆、講演に取り組む。2015年に定年退職し、18年に神戸松蔭女子学院大教授。著書に『人事部は見ている。』(日本経済新聞出版)、『定年後―50歳からの生き方、終わり方』(中央公論新社)、『会社に使われる人　会社を使う人』(角川新書)など多数。

パネリスト

エッセイスト 岸本葉子

きしもと・ようこ　1961年神奈川県生まれ。東京大卒。会社を退職後、中国留学を経て文筆生活に。がんや介護の体験を含めた自身のシングルライフをテーマにエッセーを多数発表。小説や俳句に活動の幅を広げるほか、放送倫理・番組向上機構（BPO）の放送倫理検証委員も務める。近著に『50代からの疲れをためない小さな習慣』（佼成出版社）、『50代、足していいもの、引いていいもの』（中央公論新社）など。

時事通信社解説委員長

小林伸年

こばやし・のぶとし　東京都出身。1986年時事通信社入社。静岡総局、横浜総局、本社内政部、シドニー特派員、内政部長、長野支局長、海外速報部長等を経て2019年7月より現職。内政部時代は主に社会保障、公共事業、地方財政を担当した。「人口減少時代の行政施策」「効果的な自治体広報」などをテーマに地方自治体の職員研修会などで講演しており、『全論点　人口急減と自治体消滅』『自治体PR戦略　情報発信でまちは変わる』（いずれも時事通信出版局）を監修。

コーディネーター

松本真由美

東京大学教養学部客員准教授

まつもと・まゆみ　熊本県出身。上智大外国語学部卒業。大学在学中にテレビ朝日の報道番組のキャスターになったのをきっかけに、報道番組のキャスター、リポーター、ディレクターとして幅広く取材活動を行う。2008年より東京大学における研究、教育活動に携わる。東京大学での活動の一方、講演、シンポジウム、執筆など幅広く活動する。

パネルディスカッションの模様。(左から)松本真由美、養老孟司、楠木 新、岸本葉子、小林伸年

会場の風景

受け付けの模様

司会を務めた
フリーアナウンサーの戸丸彰子氏

シンポジウム

新型コロナと人生100年時代

──メディアに求められる新たな提案力・分析力──

公益財団法人 新聞通信調査会

新型コロナと人生100年時代
―メディアに求められる新たな提案力・分析力―

主催者あいさつ

公益財団法人 新聞通信調査会

理事長 **西沢 豊**

　皆さま、こんにちは。公益財団法人 新聞通信調査会理事長の西沢でございます。本日は、「新型コロナと人生100年時代―メディアに求められる新たな提案力・分析力―」と題して、シンポジウムを企画しましたところ、コロナ禍で何かと制約が多い中にもかかわらず、会場ならびにオンラインを含めて、多くの方々にご参加いただき、誠にありがとうございます。

　さて、この「人生100年時代」という言葉が広まったのは、2016年に英国、ロンドンビジネススクールのリンダ・グラットン教授が著書『LIFE SHIFT（ライフ・

シフト）』（東洋経済新報社）の中で提唱したのが始まりのようです。この言葉には、高齢化社会をある意味、肯定的、積極的に捉えるイメージがあります。だからでしょう。政府はいち早く「人生100年時代構想会議」や、同構想推進室を設置し、素早い取り組みを国民にアピールしたのだと思います。

　これまで高齢化社会といいますと、マイナスのイメージが先に立ちました。認知症や寝たきりなど医療・介護の問題、年金や社会保障など財政の問題、そしてまた、2千万円がプレイアップされた個人の老後資金の問題です。「長生きしても、何かと大変だよね」というわけです。人生100年が、いわゆる"ピンピンコロリ"の健康長寿であればいいでしょうが、なかなかそうもいかないのが現実です。

　2020年に入って、新型コロナウイルス感染症のパンデミックが世界に大きな衝撃を与え、今なお収束の見通しが立っていません。地球環境を守るための温暖化対策も人類にとって大きな課題ですが、感染症は人類にとって最大の脅威とも言われています。100年前のスペイン風邪は、世界で3千万から4千万人もの死者を出しました。今後もどんなウイルスが出てくるか予断を許さず、人生100年時代などと楽観視してはいられないのかもしれません。

　今日のシンポジウムでは第1部で、解剖学者で東大名誉教授の養老孟司先生に、「コロナと人生100年時代は共存できるか」と題して基調講演をいただきます。これを受けて第2部では、定年後の生き方などについて多くの著書がある楠木新神戸松蔭女子学院大学教授、がん克服や介護体験など、ご自身のシングルライフをテーマに発信しておられるエッセイストの岸本葉子さん、行政問題に詳しい小林伸年時事通信社解説委員長をパネリストに、養老先生も交えてご議論いただきます。コーディネーターは、松本真由美東京大学教養学部客員准教授にお願いいたします。

　最後になりますが、大変ご多忙の中、そしてコロナ禍が進行している中にもかかわらず、出席を快諾していただいた、養老先生はじめパネリストの皆さまには、この場をお借りして厚く御礼申し上げます。そして、この後行われる議論が、参加された皆さまのお役に立つことを祈念いたしまして、シンポジウム開会にあたっての主催者あいさつといたします。ありがとうございました。

目 次

シンポジウム
新型コロナと人生100年時代
― メディアに求められる新たな提案力・分析力 ―

第①部 基調講演

コロナと人生100年は
共存できるか
養老孟司 解剖学者・東京大学名誉教授

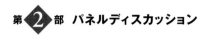

第 **2** 部　パネルディスカッション

新型コロナと人生100年時代
―メディアに求められる新たな提案力・分析力―

パネリスト

養老孟司　解剖学者・東京大学名誉教授

楠木 新　神戸松蔭女子学院大学教授

岸本葉子　エッセイスト

小林伸年　時事通信社解説委員長

コーディネーター

松本真由美　東京大学教養学部客員准教授

シンポジウム開催概要

題名　新型コロナと人生100年時代
　　　―メディアに求められる新たな提案力・分析力―

主催　公益財団法人　新聞通信調査会

会場　プレスセンターホール（日本プレスセンタービル　10階）
　　　千代田区内幸町2―2―1

日時　2020年11月7日13:00～16:00（12:30受付開始）

内容　第1部　基調講演13:05～14:05
　　　第2部　パネルディスカッション14:15～16:00

【表紙の写真】　マスク姿で東京・新宿を歩く人たち（2020年11月、共同通信社）

第 **1** 部

基調講演

コロナと人生100年は
共存できるか

養老孟司

解剖学者・東京大学名誉教授

コロナと人生100年は共存できるか

養老孟司

解剖学者・東京大学名誉教授

養老孟司氏

「老化は病気だ」という主張

　養老です。「コロナと人生100年は共存できるか」というテーマをいただいているのですが、これは結論から申し上げると、「共存するしか仕方がないだろう」ということですね。コロナについては、いろいろ報道もありますが、結局はワクチンを含めて薬ができるかどうかということだけが問題だと思います。

　もう一つ、「人生100年」の方ですが、9月にちょっと面白い本が出ました。日

『LIFESPAN（ライフスパン）』
デビッド・A・シンクレア／マ
シュー・D・ラプラント 著
梶山あゆみ 訳
（東洋経済新報社）

本でも翻訳が出ています。『LIFESPAN（ライフスパン）』（東洋経済新報社）という本で、著者はデビッド・A・シンクレアという米ハーバード大学の遺伝学の教授です。

　何が面白いかといいますと、著者はかなりラジカルな主張をしておりまして、「老化は病気だ。病気だから治せる」と言うのです。ご本人もいろいろと実践しているみたいですが、何をするのかというと、日本でいうサプリメント、薬を飲んでいるということです。それで、実際に若返りが可能だということを、丁寧に一冊の本にまとめています。本当はお読みいただいた方がいいと思うのです。ただし、使われている薬は今のところ数万円とちょっと高い。最初にその話をしたいと思います。

　著者も書いておられますが、年を取るというのは人生において自然なことで、当然「そういうものを人為的に動かすというのはいかがなものか」という意見はあるのです。つまり、「そういうこと（若返り）をしていいのか？」。著者も研究費を申請する時に、そういう論拠で断られたといいます。

　このシンクレアという人はオーストラリア人で、今はアメリカのハーバード大学で教授をしています。私がそのことから思い出すのは、心臓移植、臓器移植を最初に行った南アフリカのクリスチャン・バーナード博士です。それを日本に持ち込んだのが和田心臓移植事件ですが、これは大変有名な事件になってしまいました。こういうことは、文化的背景が非常に大きい。いまだに、移植については皆さんがどうお考えか分かりません。しかし、日本では「臨時脳死及び臓器移植調査会」いわゆる「脳死臨調」というのができて、だいぶ長いこと議論をいたしました。

　それで、なぜ私がこの話をするかというと、シンクレアという人がオーストラリア生まれで、アメリカで仕事をしているということが、象徴的だと思うのです。オーストラリアもアメリカもどちらもあまり歴史の古い国ではない。そこで出てきたものを、日本のような古い国に持ち込むと非常にもめます。つまり、乱暴なのです。初めて原爆を実用に使ったのはアメリカですが、これもアメリカで

ない国だったら、そういうことをしただろうか、という。まあ、日本でも造れたら使ったにちがいないという人がいますが。

この本をご覧になると、人生100年という、いわゆる健康寿命が、必ずしも夢じゃないということがお分かりいただけると思います。皆さんがおそらく問題にされている病気は、今は生活習慣病として一括されています。高齢者の死亡の大きな原因は、ご存じのように、がんと脳卒中、心筋梗塞などの血管の障害です。私自身も、6月下旬に心筋梗塞で入院しました。幸い今では元気にしておりますが、これで新型コロナにかかると、最も具合の悪いタイプの人間です。それで言うわけじゃないのですが、やっぱり若返りが可能であるといいですね。

普通、医療というのは、苦しんでいる患者さんを助けるから感謝されるわけです。お腹がひどく痛くて何もできないという人を治療してあげると大変感謝されるけれど、そもそもお腹が痛くならないようにしてあげらどうかというと、全然感謝されないのです。そこら辺がやっぱり「若返り」のブレーキになるわけです。私は、人生100年ということを本気で考えるならば、思い切って「若返り」を具体的に進めるといいと思っています。

社会のインフラ整備の重要性

私が現在の医療の方法をどう思っているかというと、一人一人の患者さんを治すという「もぐらたたき」だと思っています。これは、お金もかかるし、手数もかかります。しかし、それをまとめて治すことができれば、非常にいい未来がある。いわゆる健康寿命が伸びるということですね。若返りということは「寿命を延ばす」ということではなくて「健康をのばす」という意味です。そういうことが、必ずしも夢物語ではない。皆さんよくご存じの、京都大学の山中伸弥先生の研究もそれ

山中伸弥氏（共同通信社）

13

に近いですね。ある程度出来上がってしまった細胞を若い状態に戻すことができるということを、遺伝子を使って具体的に証明した。ただ残念に思うのは、それが今はまだ、シンクレアが言うような形の社会のインフラ整備に使えてないということです。

　実は医療は、医者の努力、医学の進歩で人が助かるということではないのです。最も基本的に必要なことは、社会のインフラ整備なのです。それについては、いろいろな証拠があります。この「人生100年」というのも、結局は社会のいろいろなインフラが整備されてきたからです。高齢の方はご存じだと思いますが、昔、私が子どもだった頃には、結核の治療は「大気、安静、栄養」と言っていました。私の父も結核で亡くなっていますが、やっぱり栄養が非常に不足していました。今は逆に栄養過多になって、そのせいで糖尿病が増えたりしています。私が学生の頃に結核の薬が出来始めて、結核が「治る病気」に変わっていきましたから、多くの方は化学療法で結核が治るようになったと思っておられるかもしれません。でも、イギリスでは薬で結核が治るかについて丁寧に疫学的に調べました。つまり、戦後のイギリス社会において、薬が入ってきた後とそれ以前とで、結核の患者さんとその死亡の関係について調べました。その結果、薬が入ってくる前から、結核の死亡率が減ってきているのです。つまり、薬のおかげだけで治ったわけじゃないという、極端に言うとそういう結論が出ています。

　「人生100年時代」についても、必ず「若返りなどという乱暴なことをするのはいかがなものか」という反論が出てくる。これが古い社会ですね。だから、オーストラリア出身で、アメリカで働いている人が、いわば乱暴なことを考えるのは、私は非常に理にかなっているというと変ですが、臓器移植の時と同じように、新しい社会からこういう考えが出来てくるのだなという気がしています。

　若返りが可能であれば結果的に寿命は延びますが、伝統的な古い社会・共同体の常識で考えると、そもそも人の寿命を延ばすというのは、それが果たしていいのかどうかとどなたもお考えになると思うのです。

　今度のコロナ禍でも、いろいろ物議を醸す発言がありました。例えば、ブラジルの大統領が「人間はいずれ何かで死ななければならない」と言ったものですから、もめました。私は若い頃から「人間はいずれ何かで死ななければならない」というのは「それはそうだ」と思っていました。私はインターンの時に東大病院

におりましたが、当時の東大病院というのは、そこら中のお医者さんから見放された患者さんが、最後に来る病院でした。そして、ほとんどの患者さんが亡くなっていました。たまに治る方がおられて、教授に感謝のあいさつに来られる。「おかげさまで、助かりました」と頭を下げてあいさつされているのを、私は脇で聞いていますと、つい言いたくなるのです、「あんた、今度の病気は治ったけど、いずれは何かの病気になって死ぬよ」って。私はすぐそういうことを言いたくなるたちなので、臨床医になるのはやめようと思いました。

「情報」の特徴とは何か

今日は、基本的には新聞とかその他のジャーナリズムの会ということなので、ちょっといつもそれについて思っていることを申し上げたい。

現在は情報化社会と言われています。しかし、意外に「情報とは何か」という議論がない。まあ、分かっているということかもしれません。私は、これの特徴をよく考えます。それは、「時間とともに動かない」ということですね。「動画は動くじゃないか」とおっしゃるかもしれませんが、それは時間に関係なく動いていきますから全然違うのです。動画は何度見ても同じ動画です。寸分たがわぬ画像が出てきます。

生き物はどうかというと、そうじゃないのですね。ひたすら変化する。これを「諸行無常」といいます。ご存じのように、学者というのは、文献を徹底的に調べて考える。文献というのは書かれたものですから、これは動きません。そういう動かないものを扱ってものを考えていると、生きて動いているものを考えるにはどうしたらいいのか分からなくなってしまう。

私は解剖学が専門でしたから、先輩からよく言われた言葉があります。それは、「スルメを見てイカが分かるか」です。スルメというのは、亡くなった人ですね。イカというのは、生きている人です。「解剖学で死んだ人を見て、生きた人間のことが分かるわけがないだろう」ということを言われました。

どんな仕事もそうですが、人間は自分が年中扱っているものに似てきます。情報をしょっちゅう扱っている人は、時間とともにひとりでに変化していくものについて、あまり考えない。つまり、毎日扱っている情報そのものが現実だと考え

15

るようになります。しかし、その情報の特徴は、今申し上げたように、動かないってことです。

　皆さんが、死んだら人がどうなるか、ご存じかどうかは分かりませんけれども、人間は亡くなったら、だんだん壊れていきます。これは自己融解といって、細胞が自分で自分を溶かしてしまいます。普段、生きている時はそれを防いでいます。ですから、それを腐るとかなんとか言っていますけれども、ひとりでに変わっていくものであって、必ずしも細菌が入って壊れるわけではない。自分で壊れていくのです。それを止めるために、いわゆるホルマリンというものを使って、われわれは「固定」という作業をやるわけです。ホルマリンに入れますと、そういう自己融解のプロセスが止まってしまいます。それで、自動的に壊れていくということがない。これによって、まさに、情報化していきます。

　私は、人体が情報化したものを見ていたわけです。ですから「生きているもの」と「固定したもの」の違いというのに、割合敏感なのです。社会もそうだと思いますが、生き物は時々刻々変化しているわけです。そうやって時々刻々と変化するものを、止まった形で表現するのが情報です。

　社会の常識として暗黙のうちに、現代社会は止まったものが中心になっています。つまり、情報が中心になっています。だから、私は「情報っていうのは常に過去ですから、いつも手遅れですよ」と言っています。どんなに新しいニュースも、ニュースになった段階で全て過去になっています。だから、新しいニュースを追い掛ける人は、実は過去をひたすら追い掛けているのだと、私は申し上げるのです。

　皆さんもそうだと思いますが、何かに夢中で取り組んでいるときは、時間のことはあんまり気にしなくても、時間がひとりでにたっていきます。それが本当の意味で生きているってことです。ただ、職業的にこの「情報」だけを扱っていると、世界は動かない、とどこかで暗黙のうちに思ってしまうんじゃないかと思います。そういう人は、生き物を扱うのは苦手でしょう。経済学者が、経済を扱ってもどうもうまくいかないのは、動くものを動かないもので左右しようとするからだという気がするのです。

16

社会そのものの固定化

　私は、日本では平安時代までが情報化の時代だったと思います。それを象徴的に示している言葉が、和歌の詠み人知らずというものです。和歌、つまり情報化された言葉だけが残っていて、誰が詠んだ歌か分からない。もう本人がいないということですね。ところが、鎌倉時代に入りますと、ご存じのように、平家物語では、いきなり「祇園精舎の鐘の声、諸行無常の響きあり」と書き始まっています。方丈記も、文脈としてはこれと全く同じですね。「ゆく川の流れは絶えずして、しかも元の水にあらず」。鴨川はそこにいつもあるのだけれど、見ているだけで水は入れ替わっているということです。こういう見方が主流になってきます。私は、鎌倉時代の鴨長明にせよ、平家物語を書いたと言われている信濃前司行長にせよ、その時代には、それが新鮮な常識として捉えられたのではないかと思います。

　これがまた、戦国時代が終わって江戸時代になりますと、平和になって「固定した社会」というか、社会そのものが固定してまいります。それで、「固定した社会」では、そういった諸行無常の世界のことをなんて呼ぶかというと、「乱世」と呼んでいます。現代は情報化社会ですが、私が育った頃に比べても明らかに社会が固定化してきています。それを、「格差」とかいろいろな言葉で呼んでいますが、私が見ていると、若い人は私よりも真面目で融通が利かないというか、固い感じがします。

　スマホを扱っていて、ボタンを押し間違えると、意図と全く違うことが始まってしまいます。どのボタンを押せばどうなるかということは決まっているので、そのルール通りに動かさないと、ちゃんということを聞いてくれません。理屈が分かっているのならいいのですが、分からないけれど、ともかくこういう順序でボタンを押さなきゃだめだ、となることがほとんどでしょう。

　そういうものを日常使っていると、やることが非常に固くなってくる気がするのです。「なんで今そのボタンを押したのか」ということについては、「こうするにはここを押すしかないんだよ」って、こういう話になります。日常使うものですから、これに従うしかどうしようもないですね。そこにあるその「ボタン」が、他の「ボタン」と違うということに理屈があるわけではない。われわれはそ

17

ういう時代に生きているのだなと思います。

　私はよく、こういうものを「メタメッセージ」と言っています。皆さんが、メッセージそのものの内容を聞いているときには、それを聞いていることによって受け取る「裏」があります。その「裏」というのは、メッセージの裏じゃなくて、今「メタメッセージ」と申し上げたようなことです。

　私は、現代の教育問題というのは、絶えず止まったもののやりとりをしているので、生きて動くものというのはどう扱っていいのか分からない、ということにあるだろうと思っています。教育については年中議論されるのですが、一番根本にあるのは、子どもはどんどん育って変わっていくものですから、それは簡単にコンピューターで扱えるようなものじゃない、全然性質が違うものだ、ということです。しかし、いつも扱っているものが変化しないものですから、生きて動くものとは非常に違うわけです。だから、いわゆる「情報」というものは、われわれとは違うものだということを一つ申し上げたかったのです。

　「われわれとは何か」と言えば、生き物としての人間ですね。だから、現代社会で“人生”とかそういうことが問題になるのは、案外考えている皆さんの前提が変わってきたからではないかと思うのです。

「本人確認」の「本人」とは何か

　最近面白かったのは、「本人確認」というものですね。私は鎌倉で生まれ育っておりまして、いつも地元の銀行に行くのですが、そこでなにか手続きをしようとしたら「先生、本人確認の書類お持ちですか」と聞かれました。その時、私はマイナンバーカードを持っておりませんでしたので「ないんだけど」と言いました。そして、「健康保険証でもいいですよ」と言われました。でも、それも持っていません。「ないんだよ」と言ったら、相手がなんて言ったか。「困りましたね。分かっているんですけどね」と言いました。相手は、私が“本人”だということが分かっているのだけれど、それでも本人確認の書類がいる。そこで私は、「銀行の人が言っている“本人”というはんのことだろう」と考えました。本人は目の前にいて、その確認の書類がいるというのですから、「本人とは何か」というのが私の疑問になりました。

　それからしばらくして、私より若い、会社の課長になったという人が、「最近の新入社員は、同じ部屋で働いているのに報告をメールでしてくる」って私にぶつぶつ文句を言ってくるわけです。

　それで私は、やっと分かったような気がしました。

　実は、30年くらい前、私は東大の医学部に現職で勤務していました。その頃、お年寄りの方がこれと同じような文句を言っていました。どういう文句を言っておられたかというと、病院を紹介してあげると、治療から戻ってきてお礼に来られるのですが、「お医者さんに見ていただいたのですけれど、私の顔を見ていないんです」と言うのです。要するに、お医者さんがカルテしか見ていないってことですね。今で言うと、パソコンしか見ていない、データしか見ていないって言うことですね。本人はいらない、という。

　これは、新入社員が「課長がいらない」というのと同じで、仕事をして給料をもらっているのだから、メールで報告をしておけばいいだろう、ということですね。では、その時の「課長本人とは何か」というのが問題です。この場合の「課長本人は何か」というと、今の言葉では、それを「Noise（ノイズ）」だと言えると思います。本人は「ノイズ＝雑音」なのです。では、なぜ本人がノイズになるのかというと、人間は機嫌が悪いかもしれないし、二日酔いで酒臭いかもしれない。コンピューターの中に入っている以外のものをいっぱい持っているからです。それはノイズです。そんなものに対応するために、給料もらって働いているわけじゃない。だから、「人間疎外」という言葉が昔ありましたけれど、今の社会って「人間そのもの」がいなくなってきております。だから国は、「皆さん、番号一個でいいよ」と言うのです。それにつながった情報だけが皆さんになるので。現物の皆さんはなんだって？　もうノイズというしかないです。うるさい、邪魔。

　いつの時代でもどういう状況でも、現物の人間というのは邪魔なものですね。私は生きた人が苦手で、だから解剖学をやったのですが、解剖に来る患者さんというのは、理想的な人たちです。こちらに一切迷惑かけない。実に静かでおとなしいし、文句も言いません。現代は、そういうものを求める時代になっていると私は思っています。ですから、皆さん方によくお考えいただきたいのですけれど、人工知能（AI）が進歩していったときには、皆さん方はどこにいるのかと

いうことですね。

「神様目線」と報道

　それとコロナとどういう関係があるのかと言われると、ちょっと困るのですけど……。コロナの報道も非常に多くて、どこの国で何人死んだとか、患者が何人出たとか……。そのときに、誤解がないようにちょっと申し上げておきたいことがあります。

　最近はよく生死の問題が出てまいります。これは、さっき申し上げました脳死臨調、その時にかなり議論がありました。皆さんが生きていくには、自分以外の他の人との関係が重要だというのはお分かりだと思うのですが、実は死ぬときも全く同じです。

　いつも申し上げるのですが、自分が死ぬということは、自分にとっては全く関係がないのです。どういう意味かというと、自分が死んだなということに気が付いて、「あ、俺死んだ」と思ったならば、まだ生きているのです。ということは、自分の死はないのです。それを「一人称の死」と言いますが、「一人称の死」というのはない。では、「死」とは何かというと、二人称、自分の親しい人の死があります。この「死」は非常に大きな影響があります。だから、死ぬということは自分のことじゃないと思うべきです。それこそ、連れ合いとか、親子どちらにしても、これは亡くなると大きな事件で、しばしばその人の人生を変えてしまいます。

　それから、報道されている死、アメリカの新型コロナウイルスによる死者が10万人を超えていますが、それは単なる知識であって、これはないと同じですね。それは三人称の死であって、単なる知識で、具体的に私自身に何の影響もない。

　しかも、これは死ぬことだけじゃないのです。実は病気がそうです。皆さん、病気になると痛いとか苦しいとか、「自分は病気だ」とまず思うのですが、それは当然自分にとって大変なことだと思うのですけども、実は大変なのは家族です。私は、先ほど6月下旬に入院したと言いましたが、私が入院した日、女房はICU（集中治療室）に居たきり出られなくなりました。

　昨日、自転車で鎌倉市内に行ったのですが、しょっちゅう行っている喫茶店で

お昼を食べて帰ろうと思って寄っていきました。その後、うちに帰ったら、玄関で秘書とばったり鉢合わせをしまして、あんまり帰ってこないから、探しにいくところだったと言いました。女房は、私の顔を見て、「警察に電話しようかと思った」って。女房は、私もこの年ですから自転車に乗ると危ないと思い込んでいます。ですから、当たり前に、自分一人で生きているわけではないと言うのですが、そのとおりで、病気も生死の問題も社会的なものだってことですね。現代社会に生きていますと、個人とか、そういうことがいわば中心のように見えるのですけれど、それは全然違うのです。コロナ禍で意外とよくお分かりになったのではないかと思うのですが、病気も死も、実態としては単独で存在しているのではなくて、人との関わりの上で存在しているのです。

　だから、報道にしても何にしても、なかなかピンとこないというのは、言ってみればそれが他人ごとだからです。「アメリカのコロナによる死者が10万人」っていいますが、私はそういうふうな報道をよく「神さま目線」と言います。つまり、物事を上から見ているのですね。「上から目線」という言葉もありますけども、そうじゃなくて、完全に「神さま目線」です。その「神さま目線」のことをもっと普通の言葉でなんて言っているかというと「客観報道」です。「10万人に近い人が死んだのは事実でしょう」とこういうふうに言いますね。たとえ、それが事実であろうと、こっちにはピンときていません。

　大体、ひと月に何人かの亡くなった方をお引き取りするだけで大変でしたから、私には10万人の死者というのは、解剖が仕事ですからとても扱えません。もう勘弁してくれという。10万人の段階じゃない、100人でももうこれ以上だめだという。だから報道にはしばしば実感が全くないですね。まあ、実感がありゃいいってもんでもないのですが。ただ現在では、この人間が「神さま目線」を取って世界を動かそうとするというのは、ごく普通になっています。

　それと、さっき言ったように、二人称の

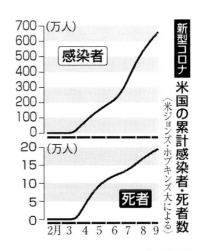

（共同通信社）

21

新型コロナウイルス感染による死者が埋葬された米ニューヨークの墓地（2020年4月、ゲッティ＝共同）

視点というか、身近な目線が薄れてきています。それは、共同体がなくなっていくということと深く関係しているわけで、「隣は何をする人ぞ」という都会が大きくなってきました。

　ですから、私はだいぶ前から、「二地域居住」というのをお勧めしているのですが、「地方に住め」って言っても、私が言い出した頃は、「仕事がない」ってすぐに言われました。だから、それなら都会で働いて、時々定期的に田舎に行けばいいといって——私はそれを「平成の参勤交代」って言っていたのですが——最近はそれを真面目に受け取って実践してくださる方が若干出てきました。

　私が何を考えてそういうことを言っていたかというと、体のことを考えても、都会だけで過ごしているのはあまりいいことではないということです。

　東京でも、ちょっとあきれたことがあります。パレスホテルの上から見ていたら、皇居の周りをジョギングで走っている人がいる。走る人は、別に好きで走っていいのです。でも、何のために走っているのか。まあ、体のためでしょう。それだったら田舎に行って、体を使って田んぼでも畑でも、世話した方がいいんじゃないかと思いました。

　これは、ニューヨークでも同じでした。朝早くセントラルパークに行って座っていましたら、サラリーマンと思われる人たちが、どんどんどんどん目の前を通っていくのです。ジョギングをやっているのですね。そんな朝からニューヨークで走っているなら、モンタナで木こりでもやればいいだろうと思ったのですが……。

　リモートでも仕事はできるということについて、コロナによって真正面に取り組まれるようになってきたみたいですね。でも、今まで都会じゃなきゃ仕事ができないという社会をつくってきた。つくってきたつもりはないかもしれませんが、そういうふうにできてきちゃったということですね。

物を相手にするか、人を相手にするか

　最近よく思うのですが、人の仕事は、物を相手にするか、人を相手にするかの二通りあると思います。コロナで非常に打撃を受けたのは、人を相手にする仕事ですね。元々物を相手にしていた場合は、あまり関係ない。物を相手にする仕事というのは、例えば田んぼや畑、あるいは海を相手に働く、そういう一次産業が典型的です。

　日常の時間の使い方について、皆さんはどうお考えか知りませんけど、特に年を取ったときには人と付き合うのは疲れます。草花を相手にしたり——私は虫を捕ってますが——そういう物を相手にするのは、体力がいらないし、本当に楽です。気を使わないので、ストレスがない。

　だから、若い方も日常の時間の使い方について考えておいた方がいいと思います。何も田舎に行けというだけじゃなくて、関心が物に向いているとストレスが少ないです。今、私のうちの周りでは、秋の草花がたくさん咲いていますが、最近はそういうものを勉強するのに、スマホで写真を撮るとその場で名前を教えてくれるという便利なアプリができています。花でも葉っぱでも、撮ればいいのです。そういうこともしてみると、外に出ることに関心がある人にとっては楽しみになると思います。

　コロナに関係して生き方も少し考えてみられたらいかがでしょう。物に関心を持つというのは、結構自分だけで楽しめるのです。昔から「職人」っていますけ

ど、それもやっぱり最終的には作品を売らなきゃなりません。いわゆる芸術作品も、みんなそうです。絵にしても、音楽は人に聴いてもらわないとしょうがないってところがある。そういうことよりも、人が絡んでいないこと、そういう作業が、年を取るとしみじみ楽だと思います。虫捕りなんかも典型的に人に絡んでいません。自分で勝手にやっているだけです。

　今朝も私、こちらに伺う前にうちの周りを散歩して、草花を見ていました。そういうことに関する知識というかノウハウは、今やSNSでものすごく簡単に手に入りますから、勉強しようと思えばいくらでもできるという時代になりました。このバランスを上手に取るということが、将来生きていく上で、ますます重要なんじゃないかと私は思っています。

　人を相手にすると、あっという間に疲れますね。私の母が90歳を超えた頃、時々きょうだいが母のところへ顔を出しましたが、1時間くらい経つと母が「もう帰りなさい」って言うのです。「たまに来たんだから」ってなだめるのですが、何で「帰りなさい」って言っているのかなと思って気が付いたら、本人が疲れているのです。また、いつも一定の場所に座ってテレビを見ているのですが、都合があってそのテレビを10センチ動かしたところ、「戻せ」ってブーブー文句を言って。つまり、普段見ているテレビが10センチ動いただけでも、年寄りはそれに合わせることができなくて疲れるのですね。

　「新型コロナと人生100年時代」というタイトルがタイトルで、立派な話にはならないですが、最終的にはコロナと上手にやり合っていくしかないということです。それと同時に、年配の方はコロナに感染すると危険だと言われていますから、できれば若返りのサプリでも飲んでいただいて……。

　「若返り」ってところがいいのです。山中伸弥先生の仕事もそうですが、原理は何かといいますと、遺伝子というのはわれわれみんな持っているわけで、それが「発生」といって卵の状態からどんどん細胞が増えて、神経細胞になったり、筋細胞になったりします。同じ遺伝子を持っているのに、どうしてそういうふうに違ってくるのか。それは細胞によって、いつ、どの遺伝子が働きだすとか、働くことをやめるとか、そういう機構と関係しているわけです。そういう機構を発生学では昔から、「エピジェネシス」と言っていましたが、老化はそれに関係しています。ですから、遺伝子そのものはデジタルではなくて、アナログだという

のが、さっきのシンクレアの考えです。その部分は、逆転することができる。上手にやれば逆転が可能だという、そういう根拠ですね。

　面白いのですが、元々の彼の専門は何だったかというと、酵母でした。酵母は単細胞生物ですから、そんなものが人間のような多細胞生物の寿命というか老化と関係があるのかというと、酵母も同じ遺伝子（DNA）を使っています。それをコントロールするという問題であって、遺伝子そのものの問題ではない。もちろん最初申し上げたように、若返りが可能だというのは、山中伸弥先生の仕事で分かっているわけです。

　シンクレアの本は、最近珍しく明るい話題だなと私は思いました。

　ちょっと早いですけど、この辺でお許しいただきたいと思います。どうもご清聴ありがとうございました。

第 **2** 部

パネルディスカッション

新型コロナと人生100年時代

―メディアに求められる新たな提案力・分析力―

パネリスト

養老孟司
解剖学者・東京大学名誉教授

楠木 新
神戸松蔭女子学院大学教授

岸本葉子
エッセイスト

小林伸年
時事通信社解説委員長

コーディネーター

松本真由美
東京大学教養学部客員准教授

パネルディスカッション

新型コロナと
人生100年時代
―メディアに求められる新たな提案力・分析力―

1. プレゼンテーション

松本 皆さん、こんにちは。本日は大変お忙しい中、会場そしてリモートでのご参加をいただきまして誠にありがとうございます。ただ今より、パネルディスカッションを始めさせていただきます。本日のテーマは、「新型コロナと人生100年時代―メディアに求められる新たな提案力・分析力 」です。

松本真由美氏

「人生100年時代」と言われるようになり、2020年3月末には、希望する高齢者が70歳まで働けるようにする、改正法が成立しています。国連で高齢者と定義している65歳以上の人々も、ひと昔前に比べますと見た目にも若々しくて、人生は長いものだと改めて思わされます。

一方、新型コロナウイルスのまん延はとどまることなく、2020年10月末時点で世界全体で累計約4500万人が感染し、約120万人が命を落としています。国内の感染者も10万人を超えましたが、ヨーロッパとアメリカでは感染拡大が続いている状況です。

新型コロナウイルス感染症とともに生きる時代になった今、人生100年時代を私たちはどう生きていけばいいのでしょうか。また、メディアは今、何をどう報じていけばいいのか。的確な視点、論点を提示できているのでしょうか。パネリ

ストの方々と議論してまいりたいと思います。

　では、本日のパネリストの方々を紹介させていただきます。先ほど、基調講演をされました養老孟司先生、再びよろしくお願いいたします。パネリストの方には、一言ずつ自己紹介も含めてごあいさつをお願いします。最初に、神戸松蔭女子学院大学教授の楠木新先生、よろしくお願いいたします。

楠木　楠木です。私の場合、今の肩書は大学の教員ですが、比較的長くサラリーマンをしておりまして、生命保険会社に36年間勤めていました。その間、会社員に対する取材を中心に、少し物を書いたりさせていただいていました。今日は、「新型コロナと人生100年時代」というテーマですが、私の場合は、「人生100年時代」の方を中心にお話をさせていただくことになるのかなと思っております。よろしくお願いいたします。

松本　続きまして、エッセイストの岸本葉子さんです。一言、自己紹介も含めてごあいさつください。

岸本　はい、岸本葉子です。こんにちは。私はフリーで物書きをしてきて、30年余りになります。そして、2021年還暦を迎えます。一人暮らしの人生後半という視点で、この「新型コロナ」という課題を考えてまいります。よろしくお願いします。

松本　時事通信社解説委員長の小林伸年さんです。よろしくお願いします。

小林　時事通信社解説委員長の小林と申します。私はこれまで通信社の記者として、財政、社会保障、地方創生などを取材してきました。人生100年時代の最大のテーマは、国民が豊かさを実感できる社会であり続けることだと認識しています。新型コロナウイルスについては、私たちの日常に横車を押すような形で割り込んできました。そして、それまでの「当たり前」を変えようとしています。私たちは今、大きなターニングポイントに立っていると考えています。今日は、そういった視点から発言したいと考えています。どうぞよろしくお願いいたしま

す。

松本 以上のパネリストの方々とともに、これから議論してまいりたいと思います。まず、これからの進行について説明します。先ほど基調講演をいただきました養老先生以外のパネリストのお三方に15分程度、それぞれのお立場からプレゼンテーションをしていただきます。その後に、「新型コロナと人生100年時代」について、メディアに求められる報道の在り方や、提案力、分析力について、掘り下げて議論してまいります。会場の皆さま方から事前にいただいた質問も、この議論の中に盛り込んでまいりますので、どうぞ最後までお付き合いください。それでは最初に、楠木新さんにプレゼンテーションをお願いします。

人生100年時代は「転身」が不可避

楠木 それでは私の方から少しお話をさせていただきます。パネルに沿いながら、お話をさせていただこうかなと思っております（**図1**）。まず、「人生100年時代は『転身』が不可避」というタイトルにさせていただいたのですけれども、「転身」というのは少し大げさかもしれないですが、「人生100年時代」というのは、なんらかの形で立場を変えていかないといけない時代になるのかなと思います（**図2**）。逆に言えば、誰もが第二の人生を持てるような時代になったと言えると思います。

今、60歳時点の平均余命は、男性で84歳、女性では88～90歳近くまでとなり、これだけ長く人生があると、なかなか一本道では走り通せないでしょう。どこかで転身とか、または複数の自分を持つことを要請される時代になったのかなと思います。

最近『徒然草』を、始めから終わりまで読んでみたのですけれど、『徒然草』の中にもキャリアの問題についてはかなり書かれてはいるのですが、「転身」とか、「複数の自分を持つこと」については、ほとんど出てきませんでした。ただ、「出家」という道がありますので、そういう意味では、昔から立場を変えるという仕組み自体はあったのかなと思っています。

先ほど、私自身はサラリーマンの生活が長かったと言いました。大学を卒業し

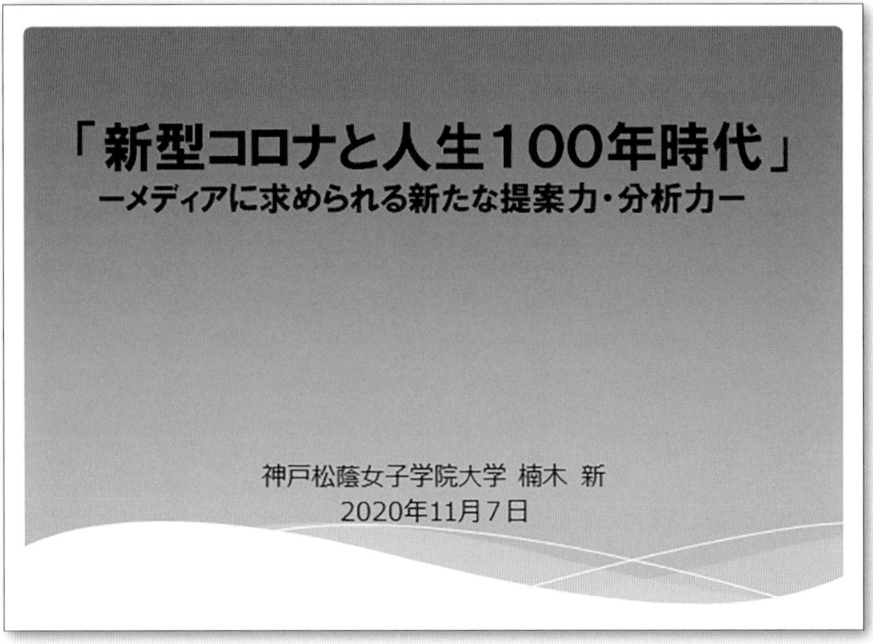
「新型コロナと人生100年時代」
ーメディアに求められる新たな提案力・分析力ー
神戸松蔭女子学院大学 楠木 新
2020年11月7日

図1

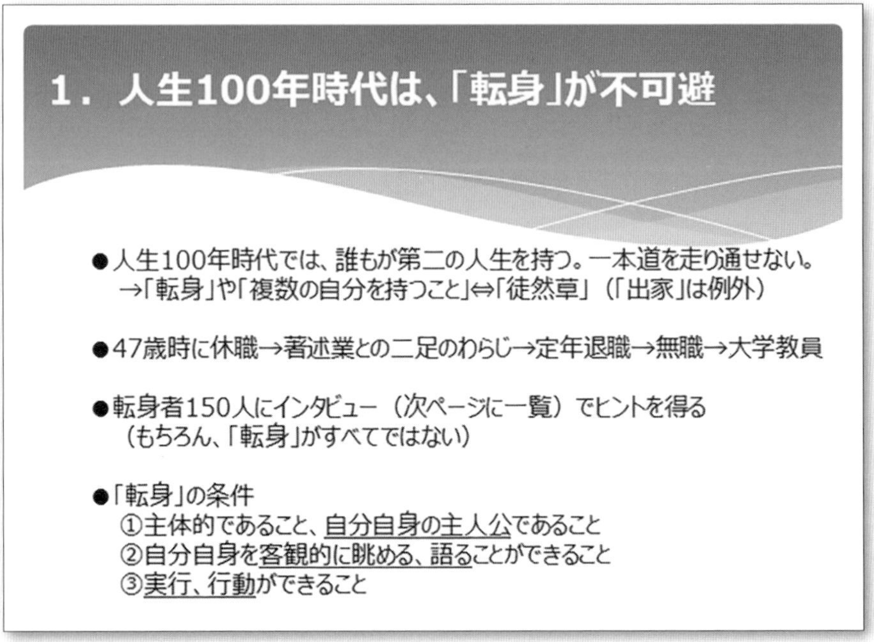
1．人生100年時代は、「転身」が不可避
●人生100年時代では、誰もが第二の人生を持つ。一本道を走り通せない。
→「転身」や「複数の自分を持つこと」⇔「徒然草」（「出家」は例外）
●47歳時に休職→著述業との二足のわらじ→定年退職→無職→大学教員
●転身者150人にインタビュー（次ページに一覧）でヒントを得る
（もちろん、「転身」がすべてではない）
●「転身」の条件
①主体的であること、自分自身の主人公であること
②自分自身を客観的に眺める、語ることができること
③実行、行動ができること

図2

て生命保険会社に勤めまして、若い時は割に順調
にいっていたのですが、実は47歳の時にちょっと
行き詰まりまして……。そこで、会社を休職した
という経験があります。その後、50歳くらいにな
ると悪かった体調も非常に軽快になったので、そ
のころから少しずつ、著述業というか、同じ会社
員の人を取材しながら「どんなふうにキャリアを
踏んでいけばいいのか」、または「個人と組織の
問題をどうすればいいのか」についての取材を始
めました。ですから、50歳から60歳までに当たる

楠木 新氏

定年退職前の10年間は、二足のわらじといいますか、会社員と執筆業の両方を続
けてきました。そして、60歳で定年退職いたしまして、その後2〜3年は無職で
取材だけをしていました。そして、3年前に大学教員の職をいただいたので、今
はそちらの方をしています。

　ちょっと一覧表を見ていただきます（図3）。

　私自身が、47歳の時に行き詰まり、50歳になって元気にはなったものの、これ
からどうしていいのか分からないという状態になりました。その時に、この資料
で「取材でお世話になった転身者の方々」と紹介している、会社員から他の仕事
に移った方々の取材を始めました。

　実は、この取材を始めたら面白くてやめられなくなったのです。ここでは、取
材した方の例を1から10まで挙げています。会社員から職人さんになった方と
か、学校の先生から市議会議員になった方とか、また会社員から農家に転身して
独立された方とか、NPOに行かれた方とか、場合によっては、美容師さんに転
身された方なんかもおられまして、こういう転身者のキャリアの中に何かヒント
があると非常に強く感じまして、それで取材に没頭しました。自分にとっては、
そのことが結果的に、著述業に転身する一つのポイントだったなと思っていま
す。

　これらの取材から見た「転身するための条件」というのはどんなものかという
ことを、三つお示しをしたいと思います。一つは、主体的であることといいます
か、自分で「主人公」になっていること。二つ目が、自分を客観的に眺めている

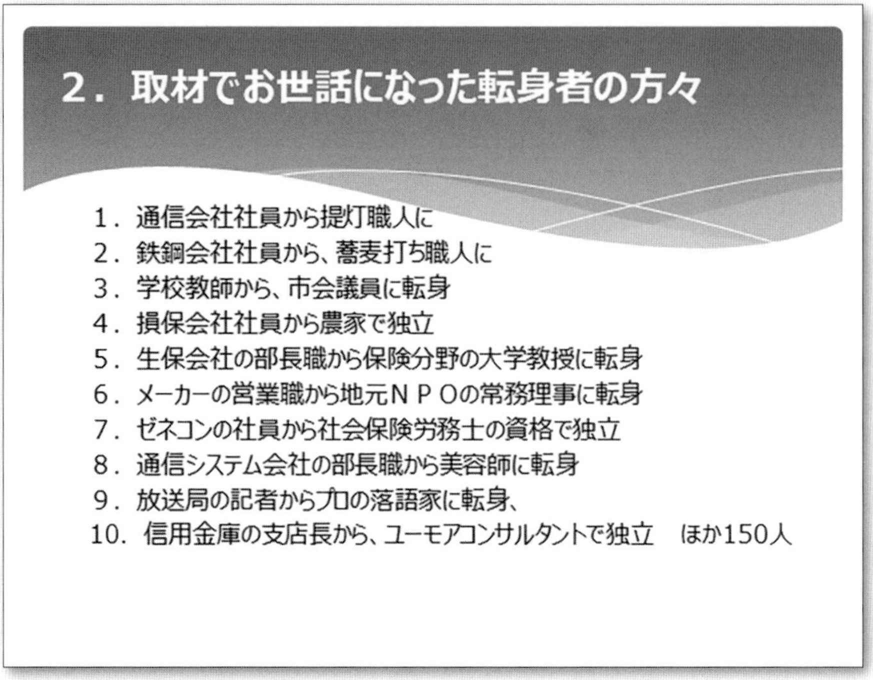

2. 取材でお世話になった転身者の方々

1. 通信会社社員から提灯職人に
2. 鉄鋼会社社員から、蕎麦打ち職人に
3. 学校教師から、市会議員に転身
4. 損保会社社員から農家で独立
5. 生保会社の部長職から保険分野の大学教授に転身
6. メーカーの営業職から地元ＮＰＯの常務理事に転身
7. ゼネコンの社員から社会保険労務士の資格で独立
8. 通信システム会社の部長職から美容師に転身
9. 放送局の記者からプロの落語家に転身、
10. 信用金庫の支店長から、ユーモアコンサルタントで独立　ほか150人

図3

といいますか、自分のことをうまく語れる人。三つ目は、実行とか行動ができる人。このように思っています。

　先ほど挙げたような転身者から——すべてこういう転身だけがいいというわけではないですが——一つの標準パターンというか、一つのモデルを考えていくことも大事じゃないかと思いまして、私の場合は執筆業に入っていきました。

人生後半に重視されるキャリアとお金の問題

　人生後半戦に当たる中高年以降を中心に取材を行っているのですが、そうなりますと、議論になるのは、大体が「キャリアとお金の問題」に集約されるのかなと思っています。そこで、「人生後半戦のキャリアとお金」について、少しお話をさせていただこうかなと思います（図4）。

　キャリアとお金の共通した点としては、どちらも早いうちにチャレンジした方

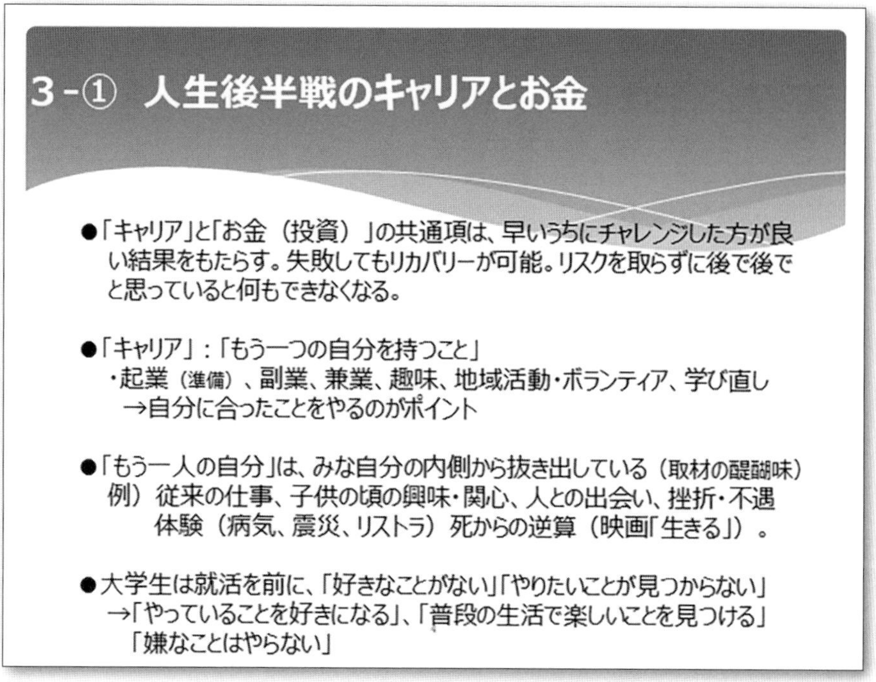

図4

が良い結果をもたらすと思います。失敗しても、比較的リカバリーが可能だからです。リスクを取らずに、後で後でと思っていると、ひょっとしたら何もできなくなる恐れがあると思います。「今頑張って後で楽しもう」とか、「今はお金を貯めておいて、後で使おう」とか思っても、後になるとなかなかできないということもあるということを、取材ではよく感じるところです。

　「キャリア」と「お金」の問題について、それぞれについて考えていることを簡単にご紹介させていただきたいと思います。

　「キャリア」については、先ほども言いましたように、人生が長くなっていることもあるので、「もう一人の自分」を持つことが大事かなと考えています。もう一人の自分といいますと、働き方改革の中ですぐに思いつくのが「副業」ということだと思うのです。けれども、実際に取材をしていますと、副業だけではなくて、もう少し幅広いのかなと思います。例えば、「起業をする」とか、「起業の準備をしながら会社で働く」とか、または「今までしてきた趣味に没頭する」と

か、それ以外にも地域活動とかボランティアを仕事と両立しながら生き生きとしている方もおられます。

　また、サラリーマンにフィット感があるなと思うのは、「学び直し」といいますか、今まで学んだことのないことを改めて学ぶ、あるいは関心のあったことについて立ち止まって学んでみるといったことです。キャリアを変えるパターンは結構多岐にわたっているというのが取材した印象です。

　ポイントとしては、人生後半戦は、お金がもうかるとか、何か外面的にいいということではなくて、自分に合ったことをやるということがポイントかなと思っています。

　もう一人の自分を探すことについて、取材をしていて気が付いたのは、「みんな自分の内側から抜き出している」という人が多いというイメージですね（**図4**）。具体的に言うと、長く仕事をしてきた経験の中からカスタマイズして、次のステップに進まれるとか。または、小学校、中学校ぐらいまでの子どもの頃に好きだったこと、その頃に持っていた興味、関心からもう一人の自分を生み出している人。または、人との出会いとか、震災にあったとか、病気だとか、リストラとか、外見だけ見れば挫折や不遇の体験がきっかけになって、次に進まれる方も多いのだなというのが印象です。ここは話を聞くときの醍醐味といいますか、面白いところかなと思います。

　もう一つ、ちょっと大げさに言うと、死からの逆算といいますか、死ぬことから逆算して今を活性化して生きていくというような考えの方もおられると思っています。

　私自身は、いつもは中高年のキャリアの問題を中心に話を聞き込んでいるのですが、今はたまたま大学の教員という立場にもありますので、大学生と就職活動についてやりとりする機会があります。そうすると、「好きなことがない」とか、「やりたいことが見つからない」とか、「個性的になれない」みたいなことを言う人が多いです。それに対しては、「世の中そんなに個性なんか求めていない、むしろ、みんなと一緒に行動することを要求しているよ」と言っています。「やりたいことが見つからない」と考えるのではなくて、すでにしていることの中から好きなことを見つけるとか、日常の生活で良いことを見つける視点が大事じゃないかなということも、キャリアの問題として若い人とやりとりしています。教員

としてはまだ新米なので、分かってもらっているかどうかは、ちょっと自信のないところもあるのですけれど。キャリアの問題を簡単に言いますと、そのような内容ということになります。

次に、この前「2千万円問題」という議論もありましたが、お金について気にされている方は非常に多いと思うのです（**図5**）。

実は私も60歳になって、無職になるということもあったので、証券会社で自分の財産のシミュレーションをしてもらったことがあります。その時に、90歳くらいになると財産がやっぱりマイナスになるのです。マイナスになるので、今から運用とか投資も必要ですという話なのですが。

5年先も見えない中で、30年も先のことを考えた上で財産のことを検討するというのは相当違和感がありました。

私も今、60代半ばになったのですが、年齢がいくとお金の使える範囲というのは狭くなってくるのだな、という実感もあります。そういう部分についても考えることが必要かな、と思っています。

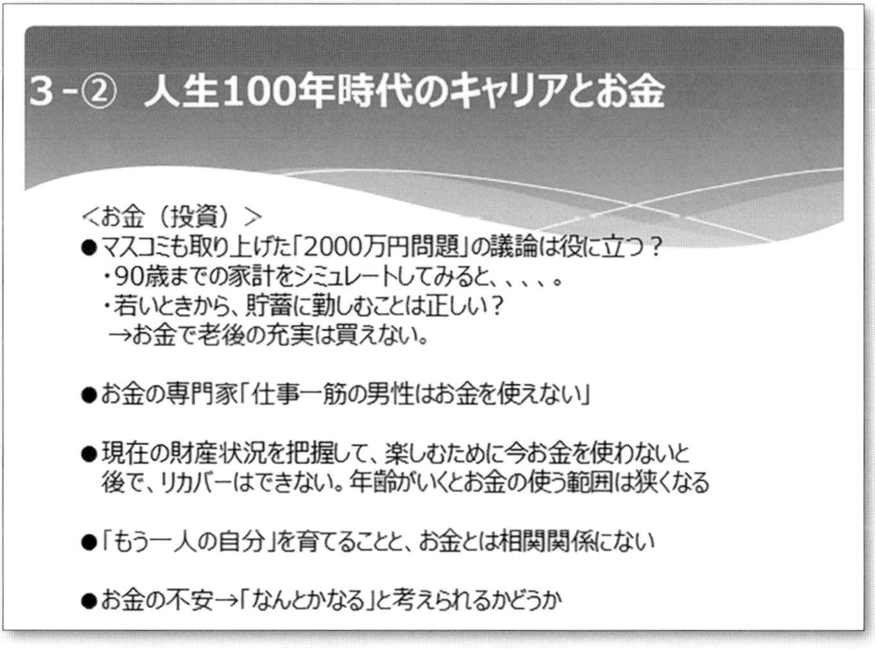

3-② 人生100年時代のキャリアとお金

<お金（投資）>
- マスコミも取り上げた「2000万円問題」の議論は役に立つ？
  - 90歳までの家計をシミュレートしてみると、、、、。
  - 若いときから、貯蓄に勤しむことは正しい？
    →お金で老後の充実は買えない。

- お金の専門家「仕事一筋の男性はお金を使えない」

- 現在の財産状況を把握して、楽しむために今お金を使わないと後で、リカバーはできない。年齢がいくとお金の使う範囲は狭くなる

- 「もう一人の自分」を育てることと、お金とは相関関係にない

- お金の不安→「なんとかなる」と考えられるかどうか

図5

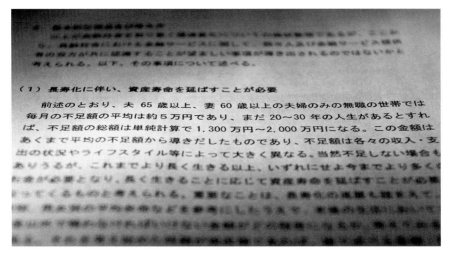

老後に夫婦で2千万円の蓄えが必要──などとする試算を記した金融庁金融審議会の報告書（共同通信社）

　先ほどキャリアの問題で、もう一人の自分をつくることが大事だという話をしたのですが、これについては取材で話を聞いていくと、お金の多寡とはあんまり関係がないかなと思います。お金を持っているからもう一人の自分が見つけやすいとか、転身しやすいということはないというのが、私自身の印象です。もちろん、最低限のお金が必要なことは当然ですけれども、お金がたくさんあるからといって、「第二の人生」がうまくいくとは限らないというのが、取材した実感ということになります。

　とはいえ、お金の不安というのは誰もが抱えているので、話を聞いていて思うのは、その人が「なんとかなる」というレベルをどの程度で考えられるのかというのが、大きなポイントかなと思っています。

　ここまで、キャリアとお金という観点で簡単にお話をさせていただきました。

メディアではケーススタディーが大事

　今日は「メディア」ということが主題でもありますので、「メディア」という観点で私が思っていることを少しお話させていただきます（**図6**）。

　「転身」という意味で関心があるのは、まず、藤田まことさんです。「てなもん

4．メディアについて

● 藤田まことさん
「てなもんや三度笠」→「必殺シリーズ」→「はぐれ刑事」→「剣客商売」

● 総論ではなくて各論。事例研究、ケーススタディーが大事
　・「人生の楽園」（テレビ朝日）
　・「カンニング竹山の新しい人生、始めます！」（ＢＳテレ東）

● 「女性の定年後」、「ひとり定年（シングル）」は発展分野

● コロナ禍は、大きい変化だがキャリアの基本は変わらない
　（ＺＯＯＭ活用、青竹踏み健康法）→新しいことに目を向ける

図6

や三度笠」で一世を風靡して、次に「必殺シリーズ」で出てきて、その後「はぐれ刑事純情派」でトップを取って、「剣客商売」もやられている。藤田さんは5冊ぐらい本を書かれていて、今はその本をずっと読んでいるのですが、転身という問題を見る上で非常に大事な人かなと思っています。

藤田まこと氏（共同通信社）

　続いて、雑ぱくに項目だけをお話ししていきますと、「メディア」について言えば、総論ではなくて、各論とか事例研究など「ケーススタディー」が大事だなと思っています。

　第二の人生でいいますと、「人生の楽園」というテレビ番組が長く放映されていますが、さらに2019年度は、「カンニング竹山の新しい人生、始めます！」というタイトルの番組が始まって、1年余り続きました。先ほど私が取材した10人の転身した方々をご紹介しました。この番組では、主にサラリーマンから転身し

た人を、一人ずつ1時間番組で追っています。私が15年前に、先ほどの取材をしていた時は、ほとんど「脱サラの問題」として扱われていたことが、今では「人生100年の問題」として番組までできるようになったのかと思いました。かつ1年間の連続番組として成り立つということで、時代の流れを非常に感じています。

　あと私が取材している中で、若干マスコミの中でブラインドになっていると思うのは、女性の定年後です。取材をしていると、女性の新聞記者の方が――今多くなっているのですが――思った以上に定年後に関心があるのです。そういう意味では、女性の定年後というのは、非常にポイントになるのかなと思っています。あと取材の中で、資料に「ひとり定年」と書いたのですが、シングルで定年を迎える方も結構おられます。そういう方についても今後発展分野かなと個人的には思っています。

　私自身について言えば、今日の主題であるコロナ禍の問題は、大きい変化ではありますが、自分のキャリアを引き直して、やることを考えていけば、それほど大きなポイントにはならないのかなという実感を持っています。ただ、IT音痴の私がZoomを使えるようになったりとか、スポーツクラブに行けなくなって、青竹踏み健康法みたいなのをやったりとか、そういう意味では非常にメリットはあったのですが。

どうしたら充実した定年後が送れるか

　最後のシート（**図7**）なのですが、私が書いた本『定年後』の帯に、「人生は後半戦が勝負！」と書いてあります。60歳からの自由時間を、平均余命からみて、私なりに大体計算すると、8万時間ぐらいあるのです。それに対して、労働時間というのは1年間で2千時間弱なので、定年後は40年働いた全部の労働時間よりも長い自由時間が待っていると考えられるかなと思います。この長い自由時間をどう采配していくか、どうコントロールしていくかが大きな問題だと思います。

　それと、定年後について感じますのは、「終わり良ければ、すべて良し」と言いますが、最後が良くなっていると、過去もいい色に見えるのですよね。ですか

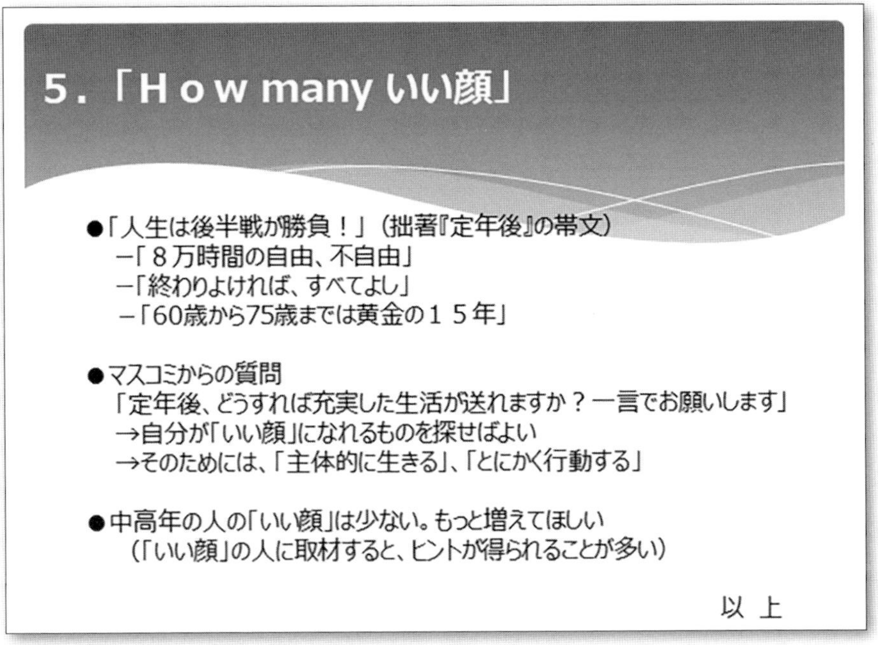

図7

ら、今の立場が良くなれば、過去も良く見えるということも含めて、この後半戦がすごく重要じゃないかなと思っています。

「60歳から75歳までは黄金の15年」と書いたのですけれど、比較的仕事も楽になって、扶養義務も少し軽くなって——介護の問題はまだ進行形の方が結構おられますが——この15年を充実させていくことが非常にポイントかなと感じています。75歳というのは誰の世話にもならずに元気で生活していける平均の年齢ぐらいのところです。

最後に、マスコミの皆さんからよく「定年後どうすれば充実した生活ができますか」「一言で言ってください」と聞かれます。一言で言えるんだったら、こんな10年以上もずっと取材とかしていないです（笑）。でもあえて私が言うとすれば、やっぱり「いい顔」でいられるかどうかということがポイントかなと思います。各人のいい顔は、それぞれ人によって違うのですが、でも人生後半戦は自分が「いい顔」になるものを探すことが大事じゃないかなと思います。そのためには、先ほど言いました「主体性を持つ」とか、「とにかく行動する」というあた

りがポイントになるのかなと感じています。

　図7の一番上のタイトルは「How many いい顔」。郷ひろみさんの1980年の歌なのですが、やっぱりいい顔でいる人が増えていくということがすごく大事じゃないかなと思います。中高年の方を見ますと、いい顔の方はどちらかというと必ずしも多くない。取材する立場から言うと、いい顔の人に話を聞きに行くと、ヒントを得られることが多いのですよね。自分の信条と行動とが一致しているからいい顔でいられるということなので、これは経験的にはほぼ間違いないと思っています。「How many いい顔」ということで、いい顔を増やすことにささやかでも貢献できたらいいなと思いながら、日々……日々は過ごしてないですね（笑）、貢献できたらいいなと思いながら過ごすこともある、というのが現状です。ありがとうございます。

松本　楠木さん、ありがとうございました。60歳から75歳までは黄金の15年という言葉は、非常にうれしいです。これから生きていく上で励みになります。

　一つお伺いしたいのですが、楠木さんはご著書でも50歳からの生き方や定年後の生き方、副業を持つことの意義について書かれていますが、生活のことを考えるとなかなか転身には踏み切れず、定年後も同じ会社で継続雇用されることを選ぶ人が多いのではないかと思います。そうした人は生きがい、働きがいをどう考えればよいのでしょうか。

楠木　そうですね。雇用延長で働くとか、転身できないということは、別にマイナスの要素ではなくて、それはある意味当然といいますか……。先ほど複数の自分を持つと言ったのですけれども、現役の時はやっぱり「一つのことだけ」という考えにとらわれているし、現実にも40代、50代は一つのことだけにとらわれると思うのです。でも、60歳を超えて定年を過ぎると、時間的にも余裕ができるので、複数のことがやれるかなと思います。ですから、合わせ技一本といいますか、私の取材対象にも、アルバイトで週に3日は仕事をしながら大学院に通って博士号を取った人とか、または継続雇用で仕事をしながら地域の障害者の方や高齢者の方を車で送迎することで非常に喜ばれていて、ご自身も充実感を持って取り組まれているという方もおられます。ですから、あまり「こう変えないといけ

ない」というよりも、何か自分の好きなものを複数見つけてみようよというぐらいの気持ちで進んでいくのが大事じゃないかなと思います。その意味も含めて、先ほど「黄金の15年」と言いましたがとりあえずは40代、50代の方は75歳ぐらいを一つのポイントにして、それ以降は黄金ではなくてプラチナの時代に入っていると、考えていけばいいのかなと思っています。以上です。

松本 ありがとうございました。それでは続いて、エッセイストの岸本葉子さんにお話しいただきたいと思います。よろしくお願いします。

年齢を重ねると出てくる未知の事態

岸本 はい、よろしくお願いします。私は資料がないので、口頭の発表のみとさせていただきます。

　今日の大きなテーマは「新型コロナと人生100年時代」、このテーマを、一人暮らしで人生後半を歩んでいく立場から考えました。100年に一度のパンデミック（世界的流行）に人生後半の入り口でまさか出会うとは思っていませんでした。でも、これは老いに向かっての訓練だと思います。未知の事態にどう向き合っていくかという訓練、これから年齢を重ねていくに従って、コロナに限らず、未知の事態というのは次々と出てくると思います。できたことができなくなるとか。そうした人生後半に出てくるすべてが未知の事態と言っていい、その事態に備える訓練が人生後半の入り口で与えられたと捉え直しています。

　そうはいっても、私は初め非常に不安が強かったです。2月、3月と感染者数が増えてくる。けれども、新型コロナウイルスのことはまだよく分かっていない。その上、私がもし今、それらしい症状が出ても、多分検査が受けられないにちがいないとか。ニュースで、一人暮らしの50代の男性が、自宅で容態が急変して亡くなったという事例を聞くと、まるで自分に明日にも起こることのよ

岸本葉子氏

うな気がしていました。高熱が出たら、保健所なんて電話できるのだろうか、と
か。一人暮らしだと、食事も困る。では、もしものときに備えて、少し買ってお
いた方がいいかなと思い、レトルトパックのおかゆを買い込んだりしました。そ
のおかゆは、幸い手つかずの状態でうちにあります。

　こうした不安に対処するには、未知のウイルスについて少しでも知るというこ
とが私にとっては役立ちました。当時はまだ、新型コロナウイルスについてまと
まった本は出ていなかったので、科学雑誌を読みました。すると、ウイルスとい
うのは、空気中で自己増殖できない。その辺でどんどん勝手に増えていくわけで
はない。そして、生物ですらないらしい。何か核酸というものが油の膜に包まれ
ているようなもので、だから油の膜を壊してしまえば大丈夫。すると、私が日頃
台所で油物を使っている時に、せっけんで手を洗うと油が落ちるような、あんな
ことをすればいいのかなと思ってきました。かかりつけ医の医師に聞くと「仮に
触ってしまっても皮膚から入るわけではないので、その手で自分の目、鼻、口を
触らない限り大丈夫。だから、外に出たら、肩より上に自分の手は上げないとい
う気持ちでいれば大丈夫」と言われました。そうしたことを知っただけでも、自
分の恐れているものの正体が少し分かり、自分のすべきことがつかめて、生活の
方針が立ったように思います。

　それから、別の方向では、感染症と人の歴史を知ることも私の不安を和らげま
した。例えば、手に入りやすいものだと、ダニエル・デフォーの『ペスト』。『ロ
ビンソン・クルーソー』の作者が、17世紀のロンドンのペストの状況を書いた本
です。いろいろな交通や情報の環境は違っても、そうしたときに、人は未知の事
態に対してどのように振る舞うのだろうか、という事例が分かる。すなわち、科
学と歴史から不安を解消する糸口を見つけました。こうした知識は、まず大切だ
と思います。

　しかし、情報と接する時間はあえて限りました。初めのうちは、私はスマホに
号外の着信がある度に、なんだろうと思いました。スマホに号外の着信が鳴る
と、事態が深刻化していて、胸がドキドキするという条件反射のような回路がで
きてしまっていました。そして、生活も次第に不規則になり……。一人暮らしと
いうこともあると思います。大体、その自粛期間の４月の途中くらいまでは、大
体朝４時すぎにＡＦＰ時事通信の記事で世界の感染者数が配信されたのをスマホ

で確認してから寝るというサイクルに陥ってしまっていました。ところが、そういうサイクルで生活していると、ごみの日を何回もすっ飛ばしてしまう。これはやはりよくない。生活のリズムが不健康になっているなと思い、改めなければいけないと思いました。それから、スマホのニュースはあまり見ず、ニュースを見るときは、例えば昼の12時と夜の7時だけとか、そのように時間を限って見るようにしました。

コロナ禍における情報への立ち向かい方

かかりつけ医の先生によると、今高齢で受診する人で、高血圧、血圧が普段より高くなっている人が多いと聞きました。で、そういう人たちに聞くと、一日中テレビの前にいてコロナの情報番組を見ているということだそうです。そうすると、こうしたまだ分からないことが多い事態、そしてましてや一人で時間が自由になる立場であると、情報との接し方をいかに自分でコントロールするかということが、心の健康を保つ上で大切になってくると思いました。

私も、感染者数は気になります。増えていれば、憂鬱になります。でも、それに対して自分のできることは限られています。手洗い、マスクの着用、そして接触を控えること。そして、できることをしたら、その後は特別なことはしないという立ち向かい方もあると思います。

人は不安なときに、何かをしている方が落ち着きます。"私はこの事態に対して、何か努力をしている"という実感が得られるからです。例えば、普段より多めにマスクを買っておくとか、多めに除菌のウェットティッシュを買っておくとか。そうした行動をしている方が、不安に立ち向かっているように思えるけれども、実はそれがもしかすると、薬屋さんの前に並んで3密の危険に自分をさらすことになるかもしれないし、本当に必要な人に物資がいかなくなったり、あるいはそうした行列という自分の作り出している様子が社会不安を招くかもしれない。そうしたことを思うと、特別なことをしないという姿勢も、一つ心に置いておきたいと思いました。

それから、先ほど私は「科学と歴史からヒントを探そうとしました」と言いました。それに加えて、自分の過去の体験からコロナに応用できそうなものを探す

ということもしてみました。自分についていえば、40歳でがんの治療を受けて、その後がんの再発リスクを抱えて生きている期間が、このコロナの不安と向き合っている今と似ているなと思いました。その共通する特徴を一言で言えば、「不確実」ということです。生死を脅かすもの、生活に大きな影響を及ぼすものが常にそばにある。そして、それがいつまであり続けるのか、先が分からない。この不確実さの下では、体の健康もさることながら、心の健康をいかに保つかが課題となります。

　私は、がんの時にどうしていたかなと思い出しました。すると、何かに集中することが心を助けたなと思います。仕事への集中でも、人によっては趣味への集中でも。私でいえば今度のコロナの期間は、書きものへの集中、それから家の中の片付け、そして家での動画を見ながらの運動などに集中していました。

　人生後半にもなると、皆さん、なんらかの困難な経験がおありだと思います。そうした困難な経験の中で培った、そのスキルを自分の過去の引き出しから取り出して、この中で今現在のよく分かっていない事態に応用できるものはないかなと考える。それは、若い人にはない、ある程度人生経験を積んできた人の強みであり、身を守る武器と言えるかと思います。

　私は今申しましたように、自粛の期間、書きものに集中し、家の中の片付けに精を出しました。少し家の中にいるときの気分を明るくしようと思って、ありがちですけど、花を買ってみたり、置物や額縁を買って飾ったり、お掃除もよくしました。しかし、そうしたことをしている時に、ふっと無力感にとらわれました。私は、確かに自分の心を助けることはしている。でも、自分のことばっかりしていて、人の役に立っていないなと感じました。

　特に、コロナでは医療提供者の方の奮闘やスーパーの店員さん、物流を支える人々、そうしたエッセンシャルワーカーの奮闘がよく報じられるのにひきかえ、そんな命懸けで働く人がいるのに、私はこんな花を飾る、額縁を飾る、そんなことをしていていいのだろうかということを思うと、無力感で止まってしまいそうになりました。

　その無力感から自分を救うのは、私にとっては二つのことでした。一つは、感謝を形にすることです。具体的には、スーパーや宅配の人に「ありがとう」と言葉で伝える。「ありがとう」と心の中で思っていても、それを言葉に出すのと出

さないのでは全く違います。

　そして、もう一つは寄付でした。医療従事者のマスクやフェースシールドが足りない。ネットで、そうした人に届くような寄付を呼び掛けているので、ちょっと簡単にクレジットカードとひも付ければ寄付ができる。そして、一度パソコンから寄付すると、皆さんショッピングのときによくご経験があるように、類似の情報が次々と画面に出てくるようになります。一度寄付すると、いろんな寄付の案内が画面に出てきます。

　すると例えば、私は手洗いをして身を守っているけれども、世界には手を洗う水をくんでこないと無い子がいます、せっけんが無い子がいます、というような、そうした世界のインフラの整っていない状況の子どもの写真などが出ると、つい寄付をする。そんなことが、私の心を救いました。つまり、家にいながらにして、自分の知らない国の人たちへの関心が、ある意味で高まった。この世界的な規模の流行が、逆に私に広い世界を見せてくれたというか、シンパシーを感じやすくしてくれたと思っています。

　コロナは、人と人との壁を高くしている面があります。国境の壁も高くしている面があります。しかし、それは一面のことで、別の面で人と人、国と国とを結び付ける作用もあると思っています。

不安へ対処するための四つのフェーズ

　今、コロナが長引いて、不安もさまざまな局面に及ぶようになりました。私はがんの不安に対処していた時に、よく言われていた四つの不安への対処、これがコロナに向き合っている自分にも応用できるような気がしています。

　四つの不安とは、体、心、社会的な面、スピリチュアルな面。この整理の仕方は、新型コロナを考えるのにも有効だと思います。

　体は、言うまでもありません。そして心についての不安の対処も、幾つか事例を紹介いたしました。社会的な不安というのは、仕事がなくなることや、収入減による生活の不安、あるいはお仕事によってはいわれのない差別にあっている、そうした社会的な面の不安もあるかと思います。そして、スピリチュアルな面では、例えばコロナで亡くなった患者さんは、家族と従来のお別れができなかった

とか、あるいは医療提供者の方が救えない命がたくさんあって、心が魂の部分で傷ついている……。これをだんだん長引いていくコロナ禍の中で四つのフェーズで捉えて、そうした不安に対して自分ができる協力はなんだろうか、そして社会ができるサポートはなんだろうかと考えていくのが、これからの課題だと思っております。

　まずはここまでとします。ご清聴ありがとうございます。

松本　岸本さん、ありがとうございました。ここで一つ質問させてください。ご自身ががんを患われ、健康には人一倍気を使っていらっしゃると思いますが、コロナ対策は手洗いやマスク着用、接触を控えるなどの他は、特別なことはしない姿勢でいらっしゃるとお話しされました。あまり神経質になりすぎないということでしょうか。今、日本では、一人暮らしの方が大変多くなっていますので、コロナ禍での一人暮らしで大事なことを教えていただけますでしょうか。

岸本　はい、自分でコントロールできることと、できないことを見分けるということだと思います。

　コントロールできるということは、今例に挙げてくださった手洗い、マスク、接触を控える。これらは、だいぶ自分でコントロールできるということが、このコロナ禍が長引いて分かってきました。

　あと、個々人では、やはりストレス対処の局面に入ってきているのかなと思います。われわれシニア世代は、これまでの人生経験があるので、先ほどの繰り返しになってしまいますが、それまでの対処スキルを応用して、それまでの人生の対処スタイルというかコーピングスタイルを使っていくことが自分でできることだと思います。

　ただ付け加えれば、一人暮らしならではの課題として、心の不調に自分では気付きにくいということがあります。適切なタイミングで専門家の支援を求める。例えば、ちょっと鬱（うつ）っぽくて、もう2週間以上よくご飯を食べていないとか、そうしたことがあれば、一人で抱えてしまわないで、誰かに相談する。心の専門家にすぐにたどり着けなくても、リモートでつながっている知人に話してみるとか、あるいは体の持病でかかっているかかりつけ医に話してみる。そうした

SOS を発することを恐れないということも、一人暮らしで必要なことかなと思っております。

松本　ありがとうございました。それでは続きまして、時事通信社解説委員長の小林伸年さんに、お話しいただきたいと思います。よろしくお願いします。

社会保障制度の安定的な運営のために

小林　まず、「人生100年時代」というこの標語なのですけど、これ政府がよく使いますが、政府の狙いとしては、社会保障の支え手を増やしたいということなのだと思います。

　それにしても「人生100年時代」は国民の間に広く浸透して受け入れられています。平均寿命も、それから平均余命も延びている中で、健康寿命ということに、とても多くの人が関心を持ち始めました。そういうところから「人生100年」という言葉が国民の間にも浸透して、それに向けた生き方、それにふさわしい生き方をしなければいけないという気持ちになっているんだろうなと思います。

　私が最大のテーマに立てている「国民が豊かさを実感できる社会であり続けること」、これは国民が幸せを感じることができる社会であることと言い直してもいいのですけれども、もちろん何が幸せかというのは人それぞれです。ただ、衣食足りて初めて幸せになれるということを前提にすると、政府の仕事というのは、豊かさの枠組みを提供することであろうと思います。具体的には、社会保障制度の安定的な運営ということが言えます。この社会保障の安定的な運営を考える上では、人口問題は避けて通れなくて、また後ほどお話しする機会もあると思いますが、まずは目先の話をしたいと思います。

　政府の全世代型社会保障会議が年

小林伸年氏

「人生100年時代」の最大のテーマ

国民が豊かさを実感できる社会であり続けること

→社会保障制度の安定は欠かせない

→強い次世代をつくる

JIJI PRESS

図8

内に最終報告をまとめるということになっております。これ全世代型社会保障なんていうふうに大きく出ている割には、今回の焦点は高齢者医療費の本人負担の引き上げなのです。とっても寂しい。もっと大きな絵を描いてほしいところなのですけれども、老人医療費の話はまた後ほどします。私が用意した資料（図8）に「強い次世代をつくる」という言葉を入れました。それは、そうでないと、社会保障制度が崩壊しかねないという懸念の裏返しでもあります。

日本の社会保障制度における世代間格差

このグラフをご覧いただきたいのですけれども（図9）、年齢別の給付と負担のイメー

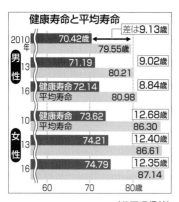

（共同通信社）

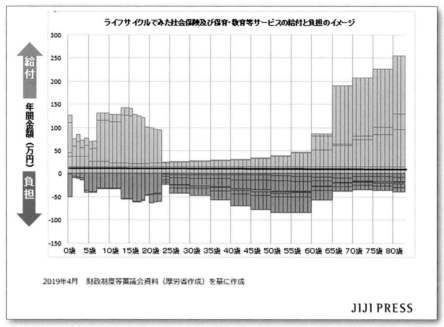

図9

ジ図です。上の黒い横線より上が給付、下が負担です。負担というのは税金だ
とか保険料だとかの本人負担なのですが、この一番左が0歳から始まって、右に行
くにしたがって年齢が上がるということです。これには、あえて費目は入れませ
んでした。パッと見てイメージをお持ちいただきたいと思ったからです。

　若干補足すると、子どもの頃、20歳前までに掛かっているお金、これは社会保
障だけではなくて、社会保障以外の給付も含めています。例えば、若い方だと教
育費、これは義務教育の教育費ですとか、それからもっと幼い子どもさんだと保
育所の経費、生まれるときの出産関係費なんかもここに含まれています。子ども
の頃は比較的病気をしやすいので、医療費も掛かりますから、この山が高いとい
えます。

　一番右の方、これ高齢化してからなのですけれども、年金、それから介護、医
療、この三つが大きな給付の費目になっています。

　真ん中、これが現役世代なのですけれども、現役世代にもそれなりのお金が掛
かっていて、大学生、大学を含めた高等教育、それから雇用保険なんかも給付の

中に入ります。雇用保険というのは、使わなければそれに越したことないのですけれども、やっぱりみんなが安全志向だと、社会は前に進めません。若者、あるいはその意欲のある人には、いろいろチャレンジしてもらいたい。チャレンジするときに、失敗したらもう即終わりだというと、それではチャレンジのしようがないので、言ってみればサーカスの空中ブランコの下にある安全ネットですね、それが雇用保険などに相当するかなと思います。

　いずれにしても、私は世代間対立をあおるつもりは毛頭ないのですけれども、やっぱりどうしても高齢者のところに給付が偏っております。もちろん、生まれて始めから高齢者もいないわけで、順番に負担もするし、給付も受けるのでトータルすれば平等ということなのですけれども、それにしても現役世代に薄過ぎる。

　海外だともっと家族手当とか、そういうものが支給、給付されることがあります。日本の場合、どうもそういうのがない。なぜないかというと、日本の場合は、かつて終身雇用制の下で働く人が多かったり、そうじゃないにしてもやっぱり経済成長と共に給料が右肩上がりで伸びていたりした時代がありました。そうすると、政府は障害者福祉を除けば、高齢者だけを見ていればよかった。ということで、高齢者の特にこの医療給付は手厚いのです。けれど、これも例えば、「選挙にお年寄りの方が行くから手厚いのだ」などという人がいますけれども、そんな浅ましい理由ではありません。もっと高まいな理由なのです。

　わが国は国民皆保険です。アメリカはご存知のように国民皆保険ではありません。ですので、新型ウイルスが入ると、ひとたまりもないような状況になってしまったのですけれども。戦後日本では、病気になったら、そのときぐらいは、貧乏か金持ちかに関係なく、良質な医療にアクセスできるようにするという福祉政策を立てたのです。そして、それを実現した。それが今、結果的に年寄りにちょっと手厚過ぎるのではないかというような状況になっているのですけれども、ここで一つ、皆さんにちょっと考え方をご提示したいと思っています。

　数年のうちに後期高齢者になる団塊の世代の人たちに特に聞いていただきたいのですが、特に高齢者の医療給付が手厚くなった背景は、これはやっぱり戦争で辛酸をなめた世代の労苦に報いるという背景が、国の気持ちがあったと思うのです。ところが、団塊の世代というのは、ご存知の通り戦後生まれです。もちろ

ん、その親の方たちは戦争でご苦労されたと思いますが、本人は戦争で辛酸をなめていないのです。

そうすると、今の現役世代、それと将来世代、つまり医療費も年金も、今の現役世代のお金だけで納めた保険料と税金だけで賄えているのであれば、将来世代のことも考えなくていいのですけれども、今どうしても、財政の下方硬直性を起こして、赤字国債でつないでいるような状態です。そうすると将来世代の負担もあって、それを先食いしているような状態です。もちろん医療費だけじゃない、公共事業も含めてなのですけれども、果たしてそれでいいのかと。つまり戦争で苦労して、辛酸をなめたといったのは、戦争は極めて異常な事態じゃないですか。だからそれを経験していないということであれば、現役世代も団塊の世代の方も同じ立場で議論するべきだと思うのです。それを考えると、もう少し現役世代に光を当てた政策、もうちょっとそこに給付を増やしてもいいのではないかと思います。

今の若者は、やっぱり雇用の流動化が進んで非正規雇用で働く人がとても多いのです。それはそのこと自体が別にかわいそうだという感情論ではないのです。2040年になると、現役世代を64歳までと捉えたとしても、働き手が大幅に減るような状況です。それは団塊ジュニアのジュニアが少ないからなのです。この団塊ジュニアのジュニアが少ないというのは、90年代の国の少子化対策が失敗したからなのです。だからこそ、今こそ若者や現役世代に光を当てた政策を実施して、10年後、20年後の日本を支える強い次世代をつくる必要があると私は考えております。それが安定した社会保障制度をつくることになると思っております。

ど根性営業の終焉

「コロナ禍が変えたもの」（**図10**）なのですけれども、これはいろいろな大きなことを変えました。さまざまな分野で改革が必要だということは分かってはいたものの、まだ日は高いとか言ってのんびり構えていた人たちも、せき立てられるように変化に対応せざるを得なくなった。それが、このコロナ禍だと思います。それによって人々の意識を変えたと言える。

例えば、株式会社パソナグループが本社を淡路島に数年かけて移して、社員

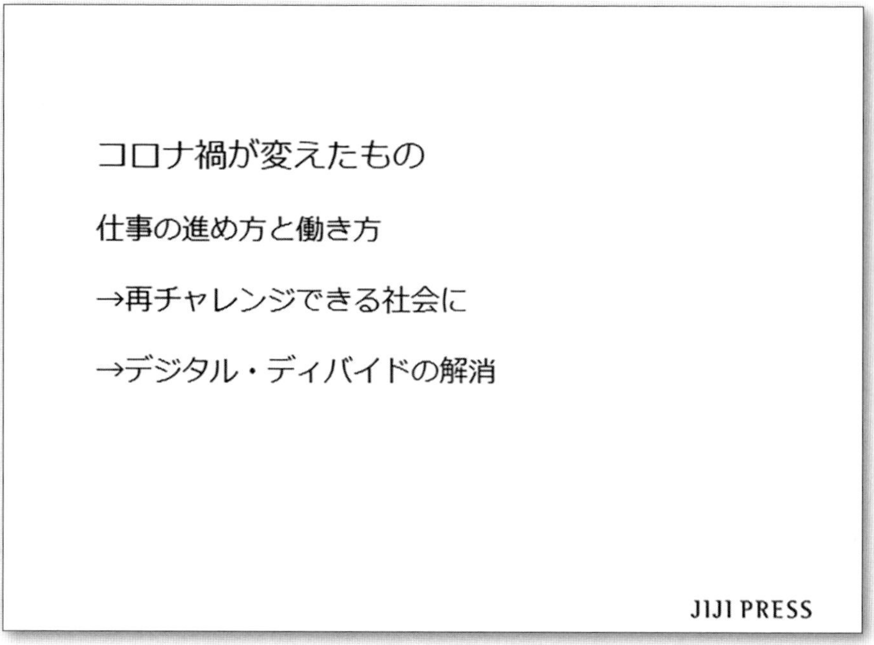

コロナ禍が変えたもの

仕事の進め方と働き方

→再チャレンジできる社会に

→デジタル・ディバイドの解消

JIJI PRESS

図10

1200人を異動対象にすると発表しました。何でこんなことができるのかというと、テレワークをしてみて、仕事が回ることが分かったというのが大きな理由のようです。例えば営業は、基本的に取引先に出向くことが常識だったわけですよ。ところが、このコロナ禍で直接対面することが難しくなって、オンラインで会議をするようになった。そうすると、今まで営業の誠意の見せ方として当たり前に足を運んでいたのですけれども、出向くのも結構時間がかかるし、迎える方も今どき建物内に入れるためにはいろいろなセキュリティーがあります。事前に入館証を用意するとか、そういう社内手続きも必要です。そして、会議室も予約して……恐らく会議室も社内で取り合いになっていたと思うのです。そういうことをしなくてよくなった。こうしてみると、こっちの方がいいと気付いた部分もあって、ではもうこの際、営業もリモートでできるのではないかと。そんなことを取材で聞きました。

　要するに、コロナによって営業手法も変わってきているということなのです。とにかく足を運んで、誠意を示すという、いわゆる「ど根性営業」の時代はもう

終わるということなのですね。じゃあ何が取って代わるかというと、エビデンス、確たる根拠に基づくデータや資料を作って、それを上手くプレゼンテーションする能力、これが「ど根性営業」に代わる営業手法になるのだろうなと思います。

ジョブ型雇用の常態化と強い次世代づくり

テレワークの普及で、移住に関心を持つ人が増えております。実際にここ数カ月、東京からの転出超過、つまり東京から出て行く人が東京に入ってくる人の数を上回るという状態が続いています。まあ東京の人口規模からするとごく微々たるものなのですけれども、それでも今まで政府が、考えられる全ての手を尽くしてもびくともしなかった東京一極集中是正に歯止めが掛かりそうだというような状況になっています。

大きく変わったこと、これがテレワーク、在宅勤務ということなのですけれども、ただこれを喜んでばかりもいられないと思うのです。というのは、今は正社員がやむを得ず在宅でテレワークをしているケースが多いと思うのですが、これが常態化した場合どうなるか。テレワークというのは、言ってみれば一定の仕事……これをジョブと呼びましょう、よくジョブ型雇用なんて言いますけれども、そのジョブは別に誰がしてもいいわけですよ。ということは、今は社員がしている仕事が社員じゃない人に担ってもらおうということになってくると、私はほぼ確信しております。そうすると、ただでさえ今働いている人の4割が非正規雇用と言われていますけれども、その割合はさらに高まって正社員なんていうのは本当に一握りの人だけになってしまう。

多くの仕事がアウトソーシングされるわけですね、ジョブは。で、そうするとそれで請け負うのは非正規の方だとしても、あるいはフリーで働いている方だとしても、それでもデジタルに対応できる方はまだいいのです。そもそも、エッセンシャルワーカーと呼ばれる人たちはテレワークをする余地もないわけですね。企業もそれから個人も、デジタルに対応できる人とできない人の格差は、これから広がっていくと思うのです。

そこでいったん格差が生じても、それが固定化されないようにする必要があっ

て、それが再チャレンジできる社会だと思うのです。若者でもそれから高齢者で
も、いつでも大学や専門学校で学び直して再チャレンジできるような政策が必要
だと思います。

　特に高齢者については、人によって差があるじゃないですか。意欲にも差があ
ると思うのです。静かな余生を送りたいとか、すでに余生に入っているという人
の尻を叩いてまで、「さあ、人生100年時代だから働け」というのは酷です。さま
ざまな生き方を認める必要があります。

　それを支えるのが公的年金だと思うのですけれども、さっきの話に戻ると、支
えている人数が少ないのであれば、生産性を上げるしかないわけで、それが強い
次世代をつくるということにつながっていくと考えております。

デジタル・デバイド解消の必要性

　そしてその際、気を付けたいのが、デジタル・デバイドの解消です。デジタ
ル・デバイドとはざっくり言うとパソコンやスマホが苦手な人ということですけ
れども、これからさらにデジタル決済が進むと思うのです。

　このコロナ禍が去っても、フィジカルディスタンスというのを、やっぱり大切
にしようという空気というのは恐らく変わらないと思うのです。フィジカルディ
スタンスを取る習慣は多分これからも変わらないであろうと考えると、このデジ
タル・デバイドの人たちを何とかしなければいけない。

　勝手にお年寄りを想定しているのですが、別に若い人だってスマホはどうも苦
手だなという人はいると思います。金融機関がどんどん支店を減らしているし、
ATMもどんどん減らしている状況ですね。下手をするとコンビニもどんどん撤
退しちゃうかもしれない。そうするとお金、現金を引き出す場所が無くなってし
まうのです。いわゆる金融包摂（ファイナンシャル・インクルージョン）という
言葉が、最近よく使われるのですが、この網からこぼれ落ちてしまう人たちがい
る。つまりお金をどこで引き出していいのか、お金を引き出すことができなくな
ってしまう人が増えるということなのです。

　これは変な話で、中国はスマホが急速に普及して、みんなスマホ決済をしてい
るというお話はご存知だと思うのですが、この話をするときに、「いや、実はそ

れは中国では偽札が横行していたからだ」ということを言いたい人たちもいるのですが、時系列的に見ると、どうもそうじゃないらしいのです。それに、その説明をしてしまうと、アフリカやロシアやインドの田舎でスマホが普及した理由が説明できなくなってしまう。それはなぜかというと、そうした国の地方では、そもそも金融機関が身近な場所になかったので、現金を持ち歩くしかなかった。だけど現金を持ち歩くのは危険じゃないですか。強盗に遭うかもしれない。それから、送金することもできない、送金を受けることもできない、それが、スマホが普及することによって、外国で働いている親戚からお金を送ってもらうとか、お金を送るとか、あるいは貯金ができるということで普及したらしいのです。

　日本で普及しなかったのは、郵便局が明治時代から全国津々浦々にあったからですね。もちろん郵便局までの距離が遠い近いという差はありますよ。でも、それがために、実は日本は明治時代から金融の世界でいうと先進国に位置付けられていたのです。それが今、あだとなってデジタル・デバイドの人たちが増えていってしまう。だから、これはもう金融行政も含めて、あまりスマホを使うのが得意じゃない、デジタル決済ができない人たちへの対策を講じていく必要があるだろうと考えます。

　とりあえず以上でございます。

松本　ありがとうございました。小林さんに２点質問があります。まず一つ目の質問は、少子化対策は失敗であると断言されましたが、これは人生100年時代においても大きな課題になりますか。

　２点目の質問は、将来に不安があると命を絶たれる高齢者が増えるのではないかとやはり心配になります。新型コロナウイルス感染が拡大する中、前年比で減少が続いていた国内の自殺者が７月以降増加に転じたことが報道されております。この事態について、どう捉えられていますか。

小林　はい、まず少子化の失敗なのですが、80年代の終わりから90年代の初めにかけて、先進各国で少子化問題というのが顕在化して行政課題になったのです。それで、日本も取り組みました。

　結論から言うと、ヨーロッパなどはそこそこ成果を上げたのです。ところが日

本は失敗した。なぜ失敗したかというと、時代の流れに対応した少子化対策をしてなかったってことですね。

　平たく言うと、保育所を増やせば子どもを産んでくれるのではないかと思い込んでいたのでしょう。ところが90年代あたりから、企業がいわゆる一般職の女性を採らなくなったのです。一般職の女性はお嫁さん候補として見られており、それで職場結婚が多かったのです。ところが一般職の女性が少なくなったことで、職場結婚が減った。

　それと、非正規雇用の人が増えた。女性については、特に非正規だからということと結婚しないということとは全く関連性がないのですけれども、男性の場合はやっぱり非正規で働いていると自信を失くすのでしょうか、結婚意欲が減退するらしいのです。ということで、本当は保育所をつくる以前に、子どもを生む前提となる結婚、それから結婚の前提となる出会いの場というのをもっと増やす必要があったのに、それを全くしてこなかった。それが団塊ジュニアの子どもが減ったということなのです。

　つまり団塊の世代というのは、ほぼ同じ数の子どもを産んでいるのです。それが団塊ジュニア。ところが団塊ジュニアが就職する頃になると、さっき言ったような状況になっちゃったので、親と同じくらいの数の子どもを残せていないのです。だから、そういう意味で90年代は失敗だった。それで、同じ失敗を繰り返してはいけないので、菅義偉首相は今少子化問題に真正面から取り組むと、こんなふうに言っているわけです。

政府の主な少子化対策と出生数

1966年	丙午で出生率が当時で過去最低の1.58に
73年	出生数209万人
90年	前年の出生率が1.57と発表（1.57ショック）
94年	エンゼルプラン策定
2005年	出生率1.26
10年	旧民主党政権が「子ども手当」創設
13年度〜	待機児童解消加速化プラン
16年	出生数100万人下回る
18年度〜	子育て安心プラン
19年	出生数90万人下回る。出生率1.36

（共同通信社）

　自殺の話なのですけれども、これは極めて深刻です。ちなみに昨年（2019年）は自殺による死亡者が史上最低だったのです。1978年に統計を取り始めて以来、年間2万169人という、もう少しで2万人を切るくらいの自殺者数でした。一時は3万人を超えていましたから、昨年は日本の自殺対策が功を奏した年なのです。それでさらに今年（2020年）の上半期は前年を1000人も下回るペースできたのです。これはコロナのような大きな出来事が

あると、ある種の緊張感があって、みんな死を考えないという現象が起きるらしいのです。それがちょっと落ち着いてきたところで、7月はそうでもないのですが、8月、9月とかなり増えてきた。雇用情勢がまだまだ悪いですから、これからさらに自殺リスクが高まるであろうと思われていて、これは早急な対策が必要だと思われております。

特に今回のコロナ禍における自殺というのは、普通のときの自殺とは、ちょっと異なりまして、普通は自殺する割合というのは、男女比が7：3で、男性の方が多いのです。その絶対的な数は今も男性の方が多いのですけれども、女性の割合が非常に高くなってきているのが問題です。しかも、この理由が、例えば孤独だからならまだ分かるのですが、そうじゃないのです。だいたい家族と一緒にいる女性が亡くなっているケースが多いのです。つまり子育てがつらくなっているとか、夫のDVがひどくなっているとか、女性同士でお友達としゃべる機会が減ったとか、そういうことで男性よりも強いストレスが女性に掛かっているのではないだろうかと言われていて、これについて分析と共にこれから対策が必要だと思います。

2. 質疑応答

松本　ありがとうございました。それでは、ここからは会場およびリモートで参加の皆さま方から事前にいただいた質問を盛り込みながら、コロナと人生100年時代について、パネリストの方々と共に議論してまいります。前半は、私たちは人生100年時代にコロナにも直面して、どう生きていくべきかをテーマに話し合い、そして後半にメディアが求める提案力、分析力について話し合いたいと思います。

まず養老先生、お待たせいたしました。会場からお二人、類似の質問をいただいています。まず40代の女性からの質問ですが、コロナという不安から世の中、この先明るい未来はありますか。養老先生はどのような見解をお持ちでしょうか？

70代の男性からの質問です。新型コロナの来襲は、長きにわたって地球を支配してきた人間の貪欲な行動に対する懲罰と考えます。そう思うならば、人間は今

後どういう生き方を選べばいいと先生は考えられますか。

養老　はい、今、小林さんの話にありましたように、女性の方にストレスが掛かっているのだとすると——いつも申し上げるのですけれど、不安というのはあって当たり前なのです。僕は不安のない人と一緒に虫捕りになんか行かない。一緒に行ったら、危なくて仕方がないですからね。熱帯のジャングルなんかに行ったときに、どこでコブラにかまれるか分からないし、どんな崖から落ちるかも分からないのに、不安がない人はどんどん先に行っちゃう。

　最近は不安がないのが当然みたいな常識ができちゃったような気がするのです。実は不安というのはあって当然ですから、それとどうやって共存していくか。あって当然のもの、まあコロナと同じですね。痛みもそうですね、でも痛みがないと、具合の悪いのが分かりません。

　まあ、まず気の持ちようというものがあって。よく言われますけど、酒瓶に半分お酒が入っているとすると「もう半分飲んじゃった」という人と、「まだ半分残っている」という人がいる。これは同じことをどっちから見ているか、つまり空になった部分を見ると、半分飲んじゃったということになるし、空になっていない、残っている分を見ると、まだ半分あるというふうに見える。ずいぶん見方によって違うのではないかと思うのですが、これはその人の癖ですから。私は、明るい方をご覧になった方がいいのではないかという考え方ですね。それから、報道なんかもそうですが、見ているとだんだん気がめいってくることがありますから、私もそういうときは見るのを止めます。さっさと情報をブロックするというのも、大事なことだと思うのです。

　それから、2番目の懲罰という考えですが、これもやっぱり人間によく起こる「やり過ぎたんじゃないの？」という考え方ですね。これをどうすればいいかというのは、もういろんな答えが出ていまして。最近のいわゆる SDGs（Sustainable Development Goals＝持続可能な開発目標）というのが典型的にそうですけど、あれはなかなかいいことを言っていると思うのです。ただ、私はそういうのを真面目に考え過ぎると気がめいるのであんまり見ないようにしています。

　明るい未来はあるのかについては、先ほどもちょっと申し上げましたが、一つは老化を防止するということで、これは現代の技術をどっちの方向へ進めるかに

ついて、皆さんの意見の一致があれば動くと思うのです。ただ最近、技術というのは、マイナスの面が非常に強く報道されています。原発が一番典型でしたが、それと炭酸ガス問題などもいろいろ言われますが。まあ、議論がいろいろあるのですが、一般にメディアは人為的な温暖化を前提にしてしまっていますね。でも、これは専門家の間でも意見が食い違っていまして、自然だという意見もあります。私は必ずしも懲罰という考え方を取らないので、「温暖化は自然だ」というのもやっぱり明るい方を見た取り方だと思います。そんなところですかね。

松本 養老先生、ありがとうございました。続きまして楠木さんに、60代の男性からの質問です。人生100年と言われるようになったようですが、私にはとても自信がありません。今後、財源不足により高齢者の医療福祉サービスも縮減されていくのでしょうか？ 自分が体力に自信がないことから、早くも自信が無くなりました、ということです。

「人生100年」を生きる上での不安

楠木 そうですね、頭で考えていると不安はいっぱい出てきますよね。年金が将来下がるのではないか、介護でお金が要るのではないか、医療費の自己負担が増えるのではないかな、とか。不安はいっぱい出てくるのですけれども、いったん退職してもまた働き始めるとそういう不安が解消したり、また お金がマイナスになりそうなら生活を切り詰めていけばいいのだと思ったりとか、行動していくと何らかの形で解決がつく場面が多いのではないかなあと思います。頭で考え過ぎるとやっぱり悲観的になるし、マイナスの方に振れるというのは実感しています。

　例えば、四国の遍路に行ったことによって、すごく気分が変わったという人がいまして。真言宗の僧侶の人にお遍路のポイントは何ですかと聞いたら「体を使う」「自然に出会う」「人に出会う」だと。そういうある意味アナログ的なことがポイントなんじゃないかなと思います。ですから、不安の反対語は安心ではなくて行動なのではないかなというのが、私自身が取材で感じていることです。

松本　再び楠木さんに質問ですが、40代と60代の男性お二人から類似の質問をいただいています。人生100年時代を生き生きと活躍するコツを教えてほしい、現役を長く続ける秘訣をお聞きしたいです、ということです。

楠木　コツというのがあるのかどうかですよね。ノウハウとかコツというのとは、ちょっと違うのではないかなと。最終的には自分で見つけないといけないのかなと思います。これだけで突き放してしまうと叱られるかもしれないので（笑）、あえて言うと、好きなこととか得意なことというのは、試行錯誤とか、やっぱり一定の時間がいるもので、すぐにはできないのです。ですから一定の準備をする期間が必要だなと非常に感じています。

　それともう一つ、先ほど冒頭で話しましたように、自分の中から抜き出しているというところが大きいので、自分の今までの経験とか、場合によっては外から見たら不幸な体験のようなものが次のステップにつながる場合もありますので、自分自身としっかり向き合うということですね。世の中、あんまりコロナとか、大きく取り上げられている"大文字"の情報に煩わされることなく、自らの行動とか自分の今までの振り返りみたいなことをきちんとやることが、次につながっていくのではないかなと思います。ですから、準備というのは非常に重要かなと個人的には思っています。

松本　ありがとうございます。続きまして岸本さんにお伺いします。お父さまの介護を経験され、またご両親お二人を見送られていらっしゃいますが、人生100年時代について、どう捉えていらっしゃいますか。

老後の時間は恵みの時間

岸本　はい、ひと言で言って肯定的です。私は40歳でがんになって、あまり良くない状況でした。で、がんになる前までは老後イコール不安でした。お金が無くなったらどうしよう、介護をしてくれる人がいないからどうしよう。ただ、がんになって100年どころか50年生きずに自分の人生が無くなるかもしれないとなり、そして実際に同年代の人が50年生きずに亡くなっていたことを思うと、老後の時

間というのは私にとって決して当たり前にあるものではない、賜りものの時間となりました。ですから、老後はもちろんお金や住むところの不安はありますけれども、同時に恵みであると思っています。

先ほど明るい未来はあるのか、というご質問がありました。私は明るい未来はつくるものだと思っています。つくるにはどうするか。明るい未来は遠いところにあるのではなくて、今日この会場を出た先、すぐにでもある。例えば、こういう世の中だから、すれ違ったときにお互いに距離を取らなきゃいけない。その距離を取るときに顔をしかめて嫌なやつが来たなという顔ですれ違えば暗い未来です。でもそこで、マスクの上からでも笑っているように、目を細めるとか、ちょっと会釈をすれば、それは明るい未来です。

では、明るい未来はありますかと聞いて、ないと言われたら、生きるのをやめるのか。私はやめません。せっかく生き延びて、生きていればいいことがいっぱいあります。だから明るい未来はないですと、たとえこういうシンポジウムで言われても、私は生きるのをやめないと思います。

がんの後、50代の前後に親の介護を経験しました。90歳で亡くなるまで、できることがどんどんできなくなっていきました。最後は排せつのケアも人に委ねざるを得ず、紙オムツでかぶれていました。そういう姿を見ても、私は人生100年に肯定的です。

イギリスの99歳のお年寄りのニュースが5月頃にあったのをご存知ですか？ 家に居ながらにして、99歳にして、医療従事者の方への寄付を日本円にして約44億円集めました。その人は100歳の誕生日までの間に、自宅の庭を歩行器を使って100周することを目標にし、その様子を動画でネットに配信し、見た人が寄付をした。そして、家の敷地から一歩も出ずに44億円の寄付を集めることができた。それができたのは、なぜかというとやはり99歳という年のインパクトだと思います。40歳の人が同じことしても多分集められなかった。それだけ、その年を重ねるということは、それだけインパクトがあるのだと思います。恐らく歩行器

44億円の寄付を集めたトム・ムーア氏
（Mirrorpix／ニューズコム／共同通信イメージズ）

を使っている様子からして、私も介護の経験から、この人はたぶん日本の介護保険でいえば要介護3ぐらいにはなっているだろうなと思いました。

　そうした日常生活に助けを借りる立場の人になっても、それだけ多くの社会貢献ができるという例を目の当たりにすると、ますます肯定的になり、幸い私がその長生き長寿に恵まれたならば、それをちょっとだけでも人のために使うことを考えていきたいなと思っています。

松本　岸本さんにもう一つ質問させてください。ご著書の『ひとり老後、賢く楽しむ』を拝読しました。終の棲家（つい　すみか）について、家は買われたということですが、そのつもりでいても、その先のことはどうなるか分からないとも書かれていらっしゃいます。人生後半を迎えるシングルライフの人にとって、家についてどう考えればよいでしょうか？

岸本　はい、やはり健康不安のある私にとっては、医療へのアクセス、介護、そして要介護状態になったら一人暮らしの私としては介護を受けられる家であることが望ましいと思いました。そうすると、そういった医療介護との連携のあるシニア向け分譲マンションであるとか、長く住める介護付き有料老人ホームなどの広告につい目が行きます。ただ他方、それは今、お金のある人ならば入れるものであるけれども、本来ならば、その医療、介護、自宅が緊密に連携されている、すなわち自治体により医療と福祉の連携が取られ、町全体がそういった家のようになることが望ましいだろうなと思っています。

社会的活動と帰属意識の関係

松本　ありがとうございました。続いて、小林さんにお聞きします。70代の男性からの質問です。コロナ禍によって、対話、介護、社会的活動など人と人との関わりが難しくなっています。特に高齢者においては顕著です。これまでと同じ状態に戻らないとしても、何らかの方策を取らないと、高齢者の知的、体力的活動が劣化して、社会的にも問題が生じるのではないでしょうか。

小林 社会的活動について申し上げると、帰属意識の問題ではないかと思います。恐らく、これは大都市に住んでいる人と地方都市、それも町村レベルに住んでいる人とでは全然違います。地方、つまり農村の延長線にある所ですと、地域の結び付きが強くて、現役を引退しても、例えば農道の整備、整備というと大げさですけれど、いわゆる道普請とか、あるいは神社の掃除とか、居どころがたくさんあって、地域の一員として完全に組み込まれているわけですね。ところが、今は都会で人口が再生産されている。すると、都会育ちの方は、そういうのがないのです。どこに帰属していたかっていうと、これはもう職場だと思うのです。会社の健康保険組合のことを職域保険などというのですが、つまり多くの会社員は、仕事関係者の間で生きてきた。仕事だけじゃなく、飲んだり食べたりするのも仕事関係者で、地域とはあまり接点が無かったという人が多かったと思うのです。そういう意味で定年退職して、いきなりその職域を無くすと居所がなくなっちゃう。

　私もマンション住まいをしていて、この人きっと大きな会社の偉い人だったのだろうなあと思われる、ちょっと孤独そうな人を見るのですが、地域の活動に積極的に入れる人と、何か妙なプライドが邪魔して入れない人、男の場合これが両極端ですね。ですので、これも行政が少し背中を押すとか、手を差し伸べる形で、地域への帰属意識を持てるような政策があってもいいかなと思います。

松本 ありがとうございます。続いて、養老先生に、先生の大ファンという女性からの質問です。100年時代と誰が言い始めたのでしょうか。言葉を聞くたびに何か頑張らないといけない感じがして、押しつぶされそうになります。もっと気楽に老後を楽しみたかったのです。先生はどう思われますか。

養老 先ほど小林さんからも解説がありましたが、100年時代と言い始めたのは、これは政府ですね。

　不愉快なことを聞く必要は全然ないので、私はこういうときは聞かなかったことにしています。

　参考にしているのは猫ですね。うちの猫はもう19歳になりますから、だいたい人間に換算すると私より年上ですけれど、本当に好きにして生きていますね。完

全に老後を楽しんでいる感じですから、非常に参考になります。

松本　もう一つ、60代の男性から養老先生に質問です。70歳まで現役で働き続けることが本当に幸せなのでしょうか。働く以外にもやるべきことを見つける時代ではないでしょうか。

養老　私もそう思いますね。日本の方は真面目な人が多いですね。だから、働くのがいいと思っている。私はほとんどの時間、虫を捕ったり見たりしています。

働くということの意味ですね。さっき対人、対物って言いましたけど、働く場合、大体は人の相手をしますが、別に物の相手をしていてもいいわけで、幸せかどうかはその人が決めることですね。

70歳まで現役で働き続けるというのは結局、経済の問題ですよね。今の日本の背景には、それがあると思うのです。ある時期からずっとデフレ傾向で、GDP（国内総生産）が伸びないという、これで何か全体に縮み傾向になっていますね。その上でものを考えると、どうしても幾つになってもしっかり働けみたいなことになっちゃうのです。これは、かなり極端な時代になっているのではないかと思います。安倍内閣は、デフレ対策ということで登場しましたけど、有効な手が打てなかった。そういう背景があって、年を取っても働けって話になっているということでしょう。

私はよくブータンに行くのですが、「働いている」というと怒られます。特に家内と一緒に行くと女房が怒られています。「年寄りをそんな働かせていいのか」と。だから本当はここに来ていてもいけないのです（笑）。

社会に出る若者に大切にしてほしいこと

松本　ありがとうございました。続いて、パネリストの皆さま方にお聞きしたいと思いますが、20代の女性からの質問です。私は今大学4年生で来年度から社会人として働きます。社会に出る上で、今の若者に伝えたい、これだけは大切にしなさいという考えを教えていただけたらうれしいです。養老先生いかがでしょうか。

養老　まあ、一生懸命努力しておられるのだと思いますが、それでいいと思いますね。いい加減にやると自分のためにならないって、それだけです。先は長いということです。

松本　ありがとうございます。では楠木先生いかがでしょうか。

楠木　今の方は４年生ということですが、たまたま昨日３年生のゼミのメンバーと進路面談をしました。先ほども少し言いましたように、就活ではやるべきことが見つからないとか、自分はあまり個性的じゃないんだ、みたいなことを言っている人がいるのですけれども「もう、そんなことを言うなよ」と言いたい。私自身がやるべきことを見つけたのは50歳からですので。学生には、まだまだ時間があるので、むしろ外にやるべきことを見つけるのではなくて、今やっていることの中から好きなことをやるとか、今やっていることの中からいい部分を見つけるような目を持つとかですね。そういったことの方が実際は大事じゃないかなあと思います。頭で考えて変わろうと思っても人間は変われないので。そのあたりのところを面談では何人かと話をさせてもらいました。

松本　では岸本さん、先輩女性として社会に出る上で、これだけは大事にしなさいというアドバイスがあればお願いします。

岸本　はい、社会に出る人に一番言いたいのは、正直に勝る交渉術はないということです。

　それから、これから就職活動をするのであれば、自分の得意分野を早くから狭めない。私は大昔、物書きになる前に、某企業の人事部の採用教育室というところにいて、たくさんの学生と面談をしました。だいたいみんな「私は英語を勉強してきたので、国際的な仕事に就きたい」とか、「サークルでイベントをやってきたので企画部門に就きたい」とか。でも、人の可能性ってそんなたかだか二十何年の人生経験で定められるほど小さくはない。自分で得意分野を決めないで、「え、こんなの私好きではないんだけれど」と思うところにも、どんどん無心でチャレンジしてほしいと思います。

松本　ありがとうございます。小林さんはいかがでしょうか、最初のプレゼンでも強い次世代をつくるというメッセージをいただきましたが、これだけは大事にしなさいというアドバイスがあればお願いします。

小林　私は学生と話すとき、「おじいさん、おばあさんは何歳ですか？」と聞くことが多いです。それはなぜかというと、歴史と地理を——時間と距離でもいいのですが、自分に引き付けて考えてほしいのです。「何歳ですか」と聞いたときに、学生が「私の祖父は（祖母でもいいのですが）92歳です」と答えたとしましょう。私は学生に「あ、アンネ・フランクより年上ですよ」って言うのです。そうすると、それで何か分かってくれる人が結構多いのです。遠い欧州で起きた出来事が急に身近なものとして考えることができるようになる。そうすることによって、つまりナチスドイツの蛮行というのは、決して人類が無知で野蛮で人権意識のかけらもない時代に起きたわけじゃないのです。おじいさん、おばあさんが生きている時代に起きたことなのですよ、ということを考えてほしいなと思っています。

　それはもう、戦争をご経験された人たちがどんどんお亡くなりになっているので、戦争を知らない世代に何か威勢のいいことをいう人たちが、国会議員なんかにも、出てきていますよね。それがとても不安なのです。そうなるとやっぱり想像力の翼を広げるしかないわけですよ。そのときに一番大切なのは、自分に引き付けてものを考えるということだと思うのです。そういう意味で、歴史と地理を自分に引き付けて考えてほしいというのが、若い人と話すときのメッセージです。

3. メディアに求められる新たな提案力・分析力

情報の伝え方と受け止め方

松本　ありがとうございました。では、ここからは後半のメディア報道について話し合いたいと思います。養老先生、楠木先生、岸本さんにお伺いしますが、コロナ禍に関する報道をどう見ていらっしゃいますでしょうか。養老先生からお願

いします。

養老 振られた質問からずれるかもしれませんが、私が最初に気になったのは、ウイルスの写真がいつも出てくることですね。皆さん、あれはどのくらい拡大しているとお考えですか。ちょっと計算してみられると分かると思うのですが、とてつもなく大きな拡大なのです。そこにアナウンサーが出てくるので、もう非常に話が狂ってしまっているなと私は思います。皆さん、テレビの画面で何でもなくコロナウイルスを見ておられるのですが、これちょっと計算したところ、あれだと人間が地球サイズになっちゃうのです。まさかそんなもの見ているとは思っておられないと思うのです。今身近に引き付けるという表現がありましたけど、そういうところが逆に身近になり過ぎて、こんなもんかという印象を与えていると思うのです。ですが、ものすごく小さいものですね。だから、小さいなりに厄介なのです。

　要するに、ものを考えるときのプロポーションが完全に狂っちゃっているのです。これはもう現代社会全体に言えることです。私は解剖で人体を見ていましたから、どうしても人間の大きさが基本的なサイズになっていますので、それから見ると、全く同じ大きさの画面にウイルスが出てきたり、アナウンサーが出てきたりすると、ものすごく違和感があるのですが、普通はないと思うのです。だから、何でもないように、日常の範囲で考えることができる存在みたいにウイルスを見ちゃうと思うのですけれど、それは実際には違うのです。一度、そういう尺度を入れていただくと分かりやすいと思うのですけれどね。漫画でもプロポーションの狂いというのには、しょっちゅう気が付きます。最近、写真とか画像が非常に発達したので、尺度の感覚が変になっていますね。

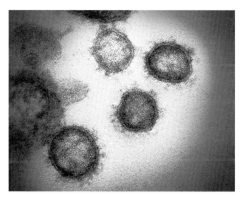

新型コロナウイルス 顕微鏡写真
（NIAID—RML／ZUMA Wire／ZUMAPRESS.com／共同通信イメージズ）

松本 ありがとうございました。

続いて楠木先生、いかがでしょうか。メディア報道で気になることはありますか。

楠木　情報をもらえることは非常にありがたいなと日々思っているのですが、各番組とか各新聞の内容がそんなに変わらないなあということも一部で感じています。ですから、提案力、分析力なんてことは、私が口をはさめる範囲じゃないのですけれど、むしろ方法論としては、例えば1人の専門家が予定調和的な話をするのではなくて、自分の見解を初めから終わりまではっきりと述べるとか、そういったことを取り上げていくことが一つのポイントじゃないかなと思います。

　例えば、記者さんや専門家の方が番組に出てこられても、質問とかを受けながらスッと話が流れていく。そうではなくて、その人が本当に正しいと思ったことをしゃべらせるようにすると言いますかね。本当に正しいと思ったことをしゃべっただけで終わったらなかなか大変でしょうから、最後にまとめるようなことは必要だと思うのですけれども、そういった時間を持つと、視聴者といいますか、聞く方にもう少し理解が深まるのかなと思います。ですから、方法論として、そういったところが少し気になっているということですね。

　あと流れ的には、「対応」のところがもう少しあればいいかなと思います。どうすればいいのかと不安があるので、ではどういう「対応」をすればいいのかというようなところにも、もう少し重点を置いていただければいいのかなと思っています。以上です。

松本　ありがとうございました。岸本さんは、メディア報道についていかがでしょうか。

岸本　はい。思うところは多くありました。私はテレビを視聴するのがつらくて、途中からはテレビをデータ放送にして、いわば文字情報として見ていました。あの東日本大震災の時もそうでしたが、こうした未知の事態が起きたときに、特にテレビは何を報道するか、何を報じるかと同時に、どのように報じるかということは非常に影響が大きいと思います。興奮した口調、人を刺激する映像、深刻な、あるいは他者を責める他責的な論評ばかりに接し続けていると、人

の心は疲れてささくれていきます。

　そうしたことを思うと、私たちは各メディアの特性を知って、それに応じた付き合い方をしていかなければならないと思いました。テレビというのは非常に視聴者層数が広いので、分かりやすさを第一にする。そうすると、分かっていないことまで、分かっているかのように整理し過ぎる傾向があると思います。また時間とか尺が限られているので、そこに詰め込むから、より単純化し過ぎる傾向がある。そして民放であれば、本当に非常に短い秒ごとだったかな、分ごとだったか忘れたのですが、非常に短い視聴率が出るので、どうしても視聴者を引き付けるような作り方をする。そういう特性を心に置いて接しなければいけない。

　ネットはどうかというと、確かに速い。しかし感情に訴えるものも多い。そして、一番危ないのは、ネットは自分で見ていくと、自分に合った情報を出してくる。つまり知らない間に編集された世界を見ている。ショッピング、例えばエコバックを買うと、次から次へとエコバックの広告が出るように、ニュースもまたその人がクリックするものを多く出すようになる。ところが、そうした特性に気付かないと自分が見ているのが、その公平な世界像だと思ってしまう。それは危険だと思いました。

　私は、新聞をよく見ていました。新聞はテレビほど時間の尺とか、あるいは細かな視聴率に左右されない、もちろん購読者数というのは大事ですけれども、その秒単位、分単位のような視聴率が出るわけではない。それからある程度時間を取った報道ができる。ですので、私は新聞で新しいニュース……新しいニュースというのも変ですけれども、新しく聞くことだけでなく、少しスパンを長く取った振り返りの記事とか、専門家からの解説を、よく読んで非常に助けになっていました。新聞は、専門の記者の方がいるということ、あるいは専門家と長いお付き合いをしているというつながりが強みだと思います。そうしたメディアの特性を踏まえた上で、付き合っていく。今のこうした未知のウイルスについては、情報の真偽というのを、私たちはなかなか判断できません。ですから、それ以前のメディアの特性というところを踏まえて接するのが、私たちがメディアと健全な付き合いをする一つの方法かなと思っております。

松本　ありがとうございました。小林さん、パネリストお三方のメディア報道へ

の率直なご意見を聞いて、どう思われましたか。

小林　報道機関に勤めている人にとっても、新型のコロナウイルスだということもあって、ほぼ初めての出来事なのだと思います。だから伝え方が確立できていないということはあるにしても、よく聞くのが「あおり過ぎ」という指摘ですよね。

　例えば初期の頃に、トイレットペーパーが無くなるというデマがありました。それで、その時にスーパーの商品棚を、テレビであれば映像を映すし、新聞であれば写真を撮ります。起きた現象を伝えないという選択肢はないにしても、そうすることによって、より一層読者や視聴者の不安を助長する面はあったと思います。それは今後の反省点というか、課題にしなければいけないと思います。

　併せて、ネットの話ですけれども、これは過渡期だから仕方がないとはいえ、このネットというのは相対化して物事を見ることができないのです。ネットユーザーの人は見たい番組を見たいように見ているわけですね、解釈したいように解釈しちゃうわけですよね。だから、ネットユーザーの方も、岸本さんがおっしゃったように、メディアの特性というのを踏まえた情報の収集というのをしてほしいと思います。

明るい面に目を向ける報道を

松本　ありがとうございました。そろそろまとめに入りたいと思いますが、「新型コロナと人生100年時代―メディアに求められる新たな提案力・分析力―」について、パネリストの皆さま方に、それぞれ最後にメッセージ・ご提言をいただきたいと思います。最初に養老先生から、お願いいたします。

養老　一つは明るい話がほしいですね。最近無くなったのが「大風呂敷」です。大きな未来というのを誰も言わなくなりましたね。だから、さっきの老化防止じゃないのですけれど、若返り。秦の始皇帝以来、人類の望みの一つですから、そのぐらいやってやるという政治ができないものですかね。今の日本は本当に細かくなっている気がします。大きく網を掛けるというか、みんなの気持ちを大きく

するような報道をしてほしいなと。そのぐらいですかね。

松本 ありがとうございます。続きまして楠木先生、いかがでしょうか。最後にメッセージをお願いします。

楠木 メディアの提案力と分析力に関して何か述べるということは私の力に余るところなのですけれども、感じますのは人生100年とか、高齢化時代とか、大きな言葉で何か分かったような気になっている部分が結構あるかなと感じます。それは先ほども言いました、不安とかマイナスイメージのところに結び付きやすい。それぞれ個々の人を見てみると、そういう中でも元気にやっている人、または負けずに頑張っている人が結構おられます。スポットの当て方を少し小さく、小文字にするといいのでしょうかね。個人のことをきちんと伝えるとかですね。または先ほど話したケーススタディーを取り上げるとかですね。大きい言葉で分かったようにするよりも、少し小文字にして伝えていくというようなことが求められているのではないかと。力に余る範囲ですけれど、ちょっとそういうふうに考えています。以上です。

松本 続きまして岸本さん、お願いいたします。

岸本 はい、速さではもうネットやSNSなどの拡散にはかなわないので、速さを競う必要はなく、専門性を生かした何か、例えば科学の見地からであるとか、歴史の見地からであるとか、そうした速さと関係ないところの捉え方を期待しています。
　そうは言っても人に期待するばかりではなく、私自身、コロナの間、新聞で毎週エッセーを連載してきました。人の心が非常に敏感になっているときに、何を書いていくかということはすごく悩みました。コロナの中では、先程も言われたような女性の自殺者が増えているといったDVやさまざまな女性ならではの困難がある。そうしたところまで目配りしたエッセーを書くべきか、とか悩みました。
　こうした人々の心が敏感なときに、そういった文章上の振る舞いって、やっぱ

り読者は気付く。この人、自分は一人暮らしなのに分かった振りをしているというのは、かえって読者に寄り添うことにならない。そう思い、結局結論としては、自分の分かる範囲のことを書く。そして、そのときに自分には何ができるかという視点をどこかに持って書くかというところに、今やっと落ち着いて、そこを足場に書いています。それが正しかったかどうかは、読者の反応を見ながら今も試行錯誤しています。

　そして、メディアというのは現在の人に発信するものであると同時に、後世の人に対して、記録を残すということもあるので、今私のできることは1面のニュースにはならないコロナ禍における一人暮らしのシニアの生活実感を後世に伝えて、将来この令和2年を後世の人が歴史として振り返ったときに、何かヒントになるものを残したいなと思っています。長くなってすみません。

松本　ありがとうございました。最後に小林さん、メッセージをお願いします。

小林　報道機関の人間としては、基本なのですが、きちんと取材をして、きちんと書くという原点に帰る必要があるなと、今皆さんのお話を聞いていて思いました。ネットでは、クリックしてもらいたいあまり、刺激的な見出しを付けるケースが多いのですけれども、逆にネットユーザーの人にも、そういう見出しにあまり釣られないでほしいと思います。

　あとメディアの役割としては、政府の動きをチェックするということ、――これは昔ながらのことなのですけれども、今後は読者や視聴者の耳に痛いことも発信して、こういったコロナ禍のような難局を乗り切るとか、あるいは社会保障を含め国の諸制度をより良いものにしていくというぐらいの気持ちで仕事をしていくべきだと思いました。

松本　パネリストの皆さま、ありがとうございました。また本日は聴講いただいた皆さま方、最後までお付き合いくださいまして大変ありがとうございました。シンポジウムの前半では、この人生100年時代、コロナ禍において、どのように生きていくべきかということを中心にパネリストの方にお話しいただきました。その中で、不安に押しつぶされそうになるといった皆さまからの質問に対して、

確かに頭だけで考えていたら不安に押しつぶされそうになるので、そこは行動してみる、そこで明るい面を見てみるなどの回答をしていただきました。

　そして後半は、メディア報道に対するさまざまなご意見をいただきました。養老先生からは、新型コロナウイルスの写真を大きく拡大して報道するのは、あまりにプロポーションが歪んでいて、情報の在り方に違和感を感じるというご指摘をいただきました。また楠木先生からは、主観的に情報を伝えることが大事じゃないか、客観報道も重要なのだが、やはり記者目線で伝えることが重要だというご意見をいただきました。岸本さんからは、一人暮らしの女性について見えにくい部分を切り開いて、いろいろな観点からお話をしていただきました。メディア報道に対しても情報で不安にならないように自分でコントロールしながら情報を捉えていく必要があるというお話も印象的でした。

　今日はさまざまに示唆に富むお話をいただきました。改めてパネリストの皆さま方に感謝申し上げます。ありがとうございました。

編集後記

人生100年時代、
コロナ禍をどう生きるか

倉沢章夫
公益財団法人 新聞通信調査会 編集長

　人生100年時代と言われても自らを省みれば、とてもそんな長生きできそうもなく、不安だらけ、との質問が出ていた。確かにそうした不安はよく分かる。皆が100歳まで生きるわけでもなく、人生100年時代なんてマスコミがつくり出した言葉というのもうなずける。とは言っても、定年後に10年といわず、20年、30年を過ごす高齢者が増えているのも事実だ。そうした時代に、新型コロナが襲い掛かった。抵抗力の落ちる高齢者にとりわけ影響が大きいという。高齢者がコロナ禍をどう生きるか、が今回のシンポジウムを構想した理由である。

　基調講演をお願いした解剖学者の養老孟司先生は「コロナとは共存するしか仕方がないだろう」とする一方、『LIFESPAN（ライフスパン）』（東洋経済新報社）という興味深い本を紹介された。米ハーバード大学のデビッド・A・シンクレア教授の本で、老化は病気で、若返りは可能、と書いてあるという。この本は内容が前向きなためか話題になっており、シンクレア教授はテレビのインタビューにも応じ、研究の目標は健康寿命を延ばすことにあると語っていた。

　養老先生の講演は、『バカの壁』の著者らしく、自ら考えることを触発する内容を多々含んでいたと思う。

　この基調講演を受けて行われたパネルディスカッションも示唆に富む内容だった。

　『定年後』（中公新書）などの著作がある楠木新氏は、人生後半戦、自分がいい顔になれるものを探すことが大事とし、定年後の長い自由時間に複数の自分を持つように努めようと前向きな姿勢を提言した。老後の不安については行動していくことで解決がつく場面が多いのではないかと述べた。やはり健康寿命が大事だなと受け止めた。

　またエッセイストの岸本葉子氏は、40歳でがんの治療を受けた体験やご両親の介護などの経験を語られ、人生100年時代について「一言で言って肯定的」という発言は力付けられる人も多かったのではないか。

　メディア関係者としてパネリストとなった時事通信社解説委員長の小林伸年氏は、日本の社会保障制度の問題点として高齢者に手厚すぎる状況を挙げ、現役世代に光を当てた政策、全世代に公平な給付を考えるべきだと提言された。また格差が生じても再チャレンジできる社会を実現する必要があると述べた。全く同感である。

　今回のシンポジウムは、新型コロナウイルス感染拡大防止の観点から、入場者を大幅に制限して行わざるを得なかった。前回までは入場者を増やすべく広報してきただけに主催者としては戸惑い気味だったが、聴講者の反応も非常に良く、シンポジウムは成功と受け止めている。

　最後に、コーディネーター・進行役としてパネルディスカッションを的確にリードしていただいた松本真由美氏、シンポジウムの設営等を委嘱した㈱共同通信社の方々にお礼を申し上げたい。

公益財団法人 新聞通信調査会 概要

名称	公益財団法人 新聞通信調査会
英文名称	Japan Press Research Institute（略称 JPRI）
設立年月日	1947年12月15日
公益法人移行	2009年12月24日
理事長	西沢 豊
役員等	理事13名（うち常勤2名）、監事2名（非常勤）、評議員22名
所在地	〒100—0011　東京都千代田区内幸町2—2—1（日本プレスセンタービル1階）

2020年10月1日現在

組織図

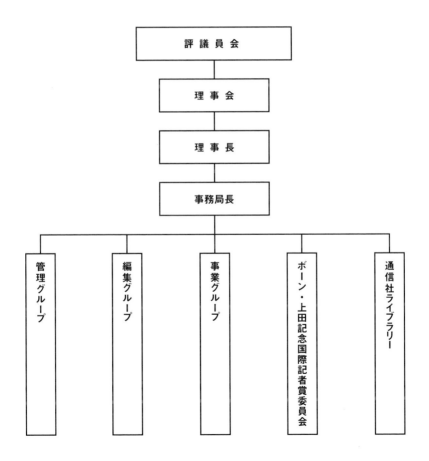

評議員会

理事会

理事長

事務局長

管理グループ　編集グループ　事業グループ　ボーン・上田記念国際記者賞委員会　通信社ライブラリー

事業内容

講演会

原則として月1回開く定例講演会と、規模の大きい特別講演会を年2回、開催。ジャーナリスト、メディア研究者、文化人、現役記者らにホットな社会情勢、国際情勢をわかりやすく語ってもらう。講演概要は『メディア展望』に収録。入場無料。

シンポジウム

メディア界をめぐるさまざまな課題をテーマに毎年1、2回開催。ジャーナリスト、学者らをパネリストに招き討論する。事前に聴講希望者からの質問も募る。基調講演とパネルディスカッションは、それぞれ概要を『メディア展望』に収録するほか、詳細な内容は単行本にまとめている。入場無料。

世論調査

国内の5000人を対象にメディアの信頼度を調べる「メディアに関する国内世論調査」と米英仏中韓タイ6カ国の対日観などを調べる「海外における対日メディア世論調査」を毎年1回実施して公表。多くの新聞、放送、ネットで報じられ、引用されている。

メディア展望

メディアを取り巻く広範な課題についてジャーナリスト、専門家による論考記事を掲載する月刊誌。1963年発刊の『新聞通信調査会報』を2009年に改題した。毎月1日発行。全文を発行日以降、新聞通信調査会のホームページで読める。

写真展

「定点観測者としての通信社」シリーズの報道写真展を毎年開催。これまでに取り上げたテーマは「憲法と生きた戦後〜施行70年」(2016年度)、「南極観測60年」(2017年度)、「平成の軌跡」(2018年度)、「熱気・五輪・1964」(2019年度)など。毎回、図録も作成している。

ボーン・上田記念国際記者賞

報道を通じて国際理解に貢献したジャーナリストを表彰する1950年創設の年次賞。当時のUP通信副社長マイルズ・ボーンと同盟通信編集局長や電通社長を務めた上田碩三の名を冠した。

出版補助

出版の機会に恵まれない研究者やジャーナリストによる論文などの刊行を助成する事業で2015年度から開始。年1回、春から夏にかけて公募している。

通信社ライブラリー

戦前の同盟通信社や現在の共同通信社、時事通信社およびメディア関連の資料、書籍を所蔵する専門図書館。蔵書は約約9000冊、資料は約2000点。入場無料。一般に開放している。

デジタルアーカイブ

通信社ライブラリーが所蔵する同盟通信社の配信記事や資料などをインターネットに公開している。当財団のホームページから閲覧できる。

同盟通信本社が入居していた当時の市政会館

同盟通信社の編集局

1945年	同盟通信社解散。共同通信社と時事通信社が発足
1947年	同盟通信社解散に伴う清算事務完了後、残された資産などを基に財団法人通信社史刊行会として発足
1958年	『通信社史』刊行
1960年	財団法人新聞通信調査会と改称
1963年	『新聞通信調査会報』(現『メディア展望』)の発行開始
1976年	月例の定例講演会を開始
2008年	「メディアに関する全国世論調査」を開始
2009年	公益財団法人に移行
2010年	通信社ライブラリー開館
2012年	「定点観測者としての通信社」シリーズの写真展を開始
2013年	ボーン・上田記念国際記者賞の運営が日本新聞協会より移管
	シンポジウム「日中関係の針路とメディアの役割」を開催。シンポジウムはその後毎年開催
2015年	出版補助事業を開始
2017年	『挑戦する世界の通信社』刊行
2018年	デジタルアーカイブを開設し、同盟通信の配信記事を収録した『同盟旬報』などを公開
2019年	デジタルアーカイブで『海外電報』『同盟通信写真ニュース』『通信社史』などを公開 『メディア展望』をマイナーチェンジ 大阪で初となるシンポジウム「五輪と万博、東京・大阪の未来予想図」を開催

新聞通信調査会が出版した書籍

※は Amazon で販売中

書名	著者	出版年
通信社史	通信社史刊行会編	1958
障壁を破る　AP組合主義でロイターのヘゲモニーを打破	ケント・クーパー	1967
古野伊之助	古野伊之助伝記編集委員会	1970
国際報道と新聞	R・W・デズモンド	1983
国際報道の危機　上下	ジム・リクスタット共編	1983
アメリカの新聞倫理	ジョン・L・ハルテン	1984
国際報道の裏表	ジョナサン・フェンビー	1988
さらばフリート街	トニー・グレー	1991
放送界この20年　上下	大森幸男	1994
IT時代の報道著作権	中山信弘監修	2004
新聞の未来を展望する	面谷信監修	2006
在日外国特派員	チャールズ・ポメロイ総合編集	2007
岐路に立つ通信社		2009
新聞通信調査会報　CD-ROM（1963〜2007年）		2009
日本発国際ニュースに関する研究	有山輝雄ほか	2009
ブレーキング・ニュース	AP通信社編	2011
関東大震災と東京の復興	新聞通信調査会編	2012
メディア環境の変化と国際報道	藤田博司ほか	2012
大震災・原発とメディアの役割		2013
日本からの情報発信※	有山輝雄ほか	2013
写真でつづる戦後日本史※	新聞通信調査会編	2013
東京の半世紀※	新聞通信調査会編	2014
日中関係の針路とメディアの役割	新聞通信調査会編	2014
ジャーナリズムの規範と倫理※	藤田博司・我孫子和夫	2014
2020東京五輪へ	新聞通信調査会編	2014
ジャーナリズムよ	藤田博司	2014
戦後70年※	新聞通信調査会編	2015
子どもたちの戦後70年※	新聞通信調査会編	2015
広がる格差とメディアの責務※	新聞通信調査会編	2016

書名	著者	出版年
報道写真が伝えた100年※	新聞通信調査会編	2016
コレクティヴ・ジャーナリズム※	章蓉	2017
プライバシー保護とメディアの在り方※	新聞通信調査会編	2017
憲法と生きた戦後※	新聞通信調査会編	2017
挑戦する世界の通信社※	「世界の通信社研究会」編	2017
南極観測60年※	新聞通信調査会編	2018
ポピュリズム政治にどう向き合うか※	新聞通信調査会編	2018
メディアに関する全国世論調査（第1回〜第10回）	新聞通信調査会編	2018
復刻版「同盟旬報・同盟時事月報」		2018
松方三郎とその時代※	田邊純	2018
NPOメディアが切り開くジャーナリズム※	立岩陽一郎	2018
人口急減社会で何が起きるのか※	新聞通信調査会編	2018
平成の軌跡※	新聞通信調査会編	2018
米中激突、揺れる国際秩序※	新聞通信調査会編	2018
大地震、異常気象をどう乗り切るか※	新聞通信調査会編	2019
熱気・五輪・1964※	新聞通信調査会編	2019
五輪と万博、東京・大阪の未来予想図※	新聞通信調査会編	2020
実物大の朝鮮報道50年※	前川惠司	2020
日本人の働き方100年※	新聞通信調査会編	2020
記者のための裁判記録閲覧ハンドブック※	ほんとうの裁判公開プロジェクト	2020

新聞通信調査会シリーズ（小冊子）

書名	著者	出版年
通信社の話	通信社史刊行会	1953
新聞組合主義の通信社のありかた	通信社史刊行会	1959
日本の新聞界と外国通信社	福岡誠一	1960
通信衛星の現状と将来	岸本康	1962
日本通信社小史（A short History of the News Agency in Japan）	古野伊之助	1963
世界の通信社	ユネスコ編	1964
アジア通信網の確立	吉田哲次郎	1968
物語・通信社史	岩永信吉	1974
新聞の名誉棄損　上下	日本新聞協会調査資料室編	1974
STORY OF JAPANESE NEWS AGENCIES	岩永信吉	1980

シンポジウム

新型コロナと人生100年時代
─メディアに求められる新たな提案力・分析力─

発行日　2021年2月22日　初版第1刷発行

発行人　西沢　豊
編集人　倉沢章夫
発行所　公益財団法人 新聞通信調査会
　　　　〒100-0011
　　　　東京都千代田区内幸町2-2-1　日本プレスセンタービル1階
　　　　TEL　03-3593-1081（代表）　FAX　03-3593-1282
　　　　URL　https://www.chosakai.gr.jp/

装丁　　野津明子（böna）
写真　　河野隆行（口絵、本文）、共同通信社（表紙、本文）
編集協力　株式会社共同通信社
印刷・製本　株式会社太平印刷社

ISBN978-4-907087-37-1
© 公益財団法人 新聞通信調査会 2021 Printed in Japan